KB055136

세상에서 가장 쉬운 과학 수업

불확정성원리

세상에서 가장 쉬운 과학 수업

불확정성원리

초판 1쇄 인쇄 2023년 10월 30일
초판 1쇄 발행 2023년 11월 6일

지은이 정완상
펴낸이 이성림
펴낸곳 성림북스

책임편집 최윤정
디자인 쏘울기획

출판등록 2014년 9월 3일 제25100-2014-000054호
주소 서울시 은평구 연서로3길 12-8, 502
대표전화 02-356-5762
팩스 02-356-5769
이메일 sunglimonebooks@naver.com

ISBN 979-11-93357-19-4 03400

노벨상 수상자들의 **오리지널 논문**으로 배우는 과학

세상에서 가장 쉬운 과학 수업

불확정성원리

정완상 지음

광학의 역사부터 슈뢰딩거 방정식의 탄생까지
미시 세계로 가는 관문, 그 첫걸음이 된 혁명적인 이론

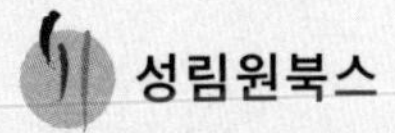

성림원북스

CONTENTS

과학을 처음 공부할 때 이런 책이 있었다면 얼마나 좋았을까

남순건(경희대학교 이과대학 물리학과 교수 및 전 부총장)

21세기를 20여 년 지낸 이 시점에서 세상은 또 엄청난 변화를 맞이하리라는 생각이 듭니다. 100년 전 찾아왔던 양자역학은 반도체, 레이저 등을 위시하여 나노의 세계를 인간이 이해하도록 하였고, 120년 전 아인슈타인에 의해 밝혀진 시간과 공간의 원리인 상대성이론은 이 광대한 우주가 어떤 모습으로 만들어져 왔고 앞으로 어떻게 진화할 것인가를 알게 해주었습니다. 게다가 우리가 사용하는 모든 에너지의 근원인 태양에너지를 핵융합을 통해 지구상에서 구현하려는 노력도 상대론에서 나오는 그 유명한 질량–에너지 공식이 있기에 조만간 성과가 있을 것이라 기대하게 되었습니다.

앞으로 올 22세기에는 어떤 세상이 될지 매우 궁금합니다. 특히 인공지능의 한계가 과연 무엇일지, 또한 생로병사와 관련된 생명의 신비가 밝혀져 인간 사회를 어떻게 바꿀지, 우주에서는 어떤 신비로움이 기다리고 있는지, 우리는 불확실성이 가득한 미래를 향해 달려가고 있습니다. 이러한 불확실한 미래를 들여다보는 유리구슬의 역할을 하는 것이 바로 과학적 원리들입니다.

지난 백여 년 간의 과학에서의 엄청난 발전들은 세상의 원리를 꿰뚫어 보았던 과학자들의 통찰을 통해 우리에게 알려졌습니다. 이런 과학 발전의 영웅들의 생생한 숨결을 직접 느끼려면 그들이 썼던 논문들을 경험해 보는 것이 좋습니다. 그런데 어느 순간 일반인과 과학을 배우는 학생들은 물론 그 분야에서 연구를 하는 과학자들마저 이런 숨결을 직접 경험하지 못하고 이를 소화해서 정리해 놓은 교과서나 서적들을 통해서만 접하고 있습니다. 창의적인 생각의 흐름을 직접 접하는 것은 그런 생각을 했던 과학자들의 어깨 위에서 더 멀리 바라보고 새로운 발견을 하고자 하는 사람들에게 매우 중요합니다.

저자인 정완상 교수가 새로운 시도로서 이러한 숨결을 우리에게 전해주려 한다고 하여 그의 30년 지기인 저는 매우 기뻤습니다. 그는 대학원생 때부터 당시 혁명기를 지나면서 폭발적인 발전을 하고 있던 끈 이론을 위시한 이론 물리 분야에서 가장 많은 논문을 썼던 사람입니다. 그리고 그러한 에너지가 일반인들과 과학도들을 위한 그의 수많은 서적들을 통해 이미 잘 알려져 있습니다. 저자는 이번에 아주 새로운 시도를 하고 있고 이는 어쩌면 우리에게 꼭 필요했던 것일 수 있습니다. 대화체로 과학의 역사와 배경을 매우 재미있게 설명하고, 그 배경 뒤에 나왔던 과학의 영웅들의 오리지널 논문들을 풀어간 것입니다. 과학사를 들려주는 책들은 많이 있으나 이처럼 일반인과 과학도의 입장에서 질문하고 이해하는 생각의 흐름을 따라 설명한 책은 없습니다. 게다가 이런 준비를 마친 후에 아인슈타인 등의 영웅들의 논문을 원래의 방식과 표기를 통해 설명하는 부분은 오랫동안 과학을 연구해온 과학자에게도 도움을 줍니다.

이 책을 읽는 독자들은 복 받은 분들일 것이 분명합니다. 제가 과학을 처음 공부할 때 이런 책이 있었다면 얼마나 좋았을까 하는 생각이 듭니다. 정완상 교수는 이제 새로운 형태의 시리즈를 시작하고 있습니다. 독보적인 필력과 독자에게 다가가는 그의 친밀성이 이 시리즈를 통해 재미있고 유익한 과학으로 전해지길 바랍니다. 그리하여 과학을 멀리하는 21세기의 한국인들에게 과학에 대한 붐이 일기를 기대합니다. 22세기를 준비해야 하는 우리에게는 이런 붐이 꼭 있어야 하기 때문입니다.

현대물리학의 탄생 영화를 보는 듯한 책

오경애(고척고등학교 물리 교사)

《세상에서 가장 쉬운 과학 수업 불확정성원리》는 불확정성원리와 슈뢰딩거 방정식에 담겨 있는 역사와 수학, 과학자의 삶을 함께 이해할 수 있도록 서술한 책입니다. 양자역학의 탄생 과정 가운데 인물, 사회적 배경, 수식과 공식을 퍼즐처럼 맞춰 놓은 한 편의 영화 같은 책이 한국어로 발간되어 매우 기쁩니다. 이 책은 1925년 하이젠베르크의 불확정성원리 논문과 1926년 슈뢰딩거의 방정식 논문을 읽는 것을 목표로 합니다. 광학에서 시작하여 드브로이의 물질파와 보어의 원자모형을 다루며 불확정성원리를 이해하기 위한 푸리에 급수, 복소수를 자세히 설명합니다. 그리고 해석역학을 이용하여 전자의 파동함수를 변수로 하는 파동방정식인 슈뢰딩거 방정식을 발견하는 과정을 한 권의 책으로 새롭게 구성한 것 또한 너무나 참신하고 좋습니다. 첫 번째 만남부터 여섯 번째 만남까지의 내용 전개에서 양자역학 지식을 전달하는 정완상 교수님의 통찰력을 볼 수 있습니다. 독자들이 잘 이해할 수 있도록 얼마나 고민하면서 책을 쓰셨는지가 느껴집니다.

고등학교에서 학생들이 과학탐구 과목을 선택하여 수강하지만, 공식적인 시험에서는 선행학습 금지법으로 교육과정을 넘는 수준의 문제를 출제할 수 없습니다. 그러다 보니 대학 진학을 준비하는 학생들은 수능 관련 물리 문제를 푸는 요령과 신유형의 문제 해결 방법에 관심이 많습니다. 교사 입장에서도 물리를 가르치면서 과연 수학을 얼마나 사용할지, 문제를 잘 풀기 위해서 단순 계산을 빠르고 정확하게 해야 하는 게 아닌가 고민하는 것이 현실입니다.

반면 물리학에 관심이 많고 현대물리 역사에 흥미를 갖는 학생들도 있습니다. 그들에게 현대물리학의 전문적인 내용을 자세하게 다루면서 한 권으로 소개할 만한 책이 대학 서적 외에는 사실상 찾기 힘듭니다. 하지만 대학 서적은 일반계 고등학생들이 읽기에는 너무 난해하여 시도하기 어렵습니다. 현대물리학에 관심이 있는 학생들에게 이 책은 과학 지식이 어떻게 발견되고 수학이 어떤 역할을 하는지에 대해 흥미를 제공하리라 생각합니다. 고등학교 물리 교사인 저 또한 이 책에서 하이젠베르크의 불확정성원리 공식이 완성되는 과정, 슈뢰딩거 방정식을 이해하기 위해 필요한 해석역학과 발견 과정에 대한 설명을 읽으며 감탄을 금할 수 없었습니다. 고전역학, 전자기학, 수리물리학, 현대물리학 책들을 여기저기서 찾지 않아도 될 만큼 완벽하게 구성되었구나 하고 저자에게 존경심이 우러나옵니다.

성인들에게도 불확정성원리가 아주 생소하지만은 않습니다. 철학, 윤리, 사회, 종교에서도 불확정성을 종종 언급합니다. 하지만 불확정성원리가 무엇인지 구체적으로 알고 있는 사람들은 많지 않습니다. 《세상에서 가장 쉬운 과학 수업 불확정성원리》 이 책 한 권으로 불확정성원리가 나오기까지의 과정을 살펴보고 이해할 수 있습니다. 사실 책에는 삼각함수, 지수함수뿐만 아니라 미분, 적분, 편미분, 푸리에 급수, 복소수, 오일러 공식 등 깊이 있는 수학식들이 나옵니다. 수식의 전개를 모두 파악하기는 어렵지만, 수학을 이용하여 물리학의 멋진 방정식이 만들어지는 과정을 보는 것만으로도 학생, 대학원생, 수학 및 과학 교사, 일반 독자들에게 양자 현상에 대한 한층 발전된 이해를 제공해 주는 이 책을 추천합니다.

하이젠베르크는 "논문의 내용이 너무 혁명적이어서 학술지에 투고할 자신이 없다"고 보른에게 말했고, 보른은 내용이 어려워 잘 이해할 수 없었다고 하였습니다. 이 책은 너무나도 훌륭하지만 여러분도 읽으면서 제대로 이해하기 힘들지도 모릅니다. 그러나 책을 읽는 순간 미시 세계와 양자역학에 대한 깨달음이 시작될 것으로 확신합니다.

천재 과학자들의 오리지널 논문을 이해하게 되길 바라며

사람들은 과학 특히 물리학 하면 너무 어렵다고 생각하지요. 제가 외국인들을 만나서 얘기할 때마다 신선하게 느끼는 점이 있습니다. 그들은 고등학교까지 과학을 너무 재미있게 배웠다고 하더군요. 그래서인지 과학에 대해 상당한 지식을 가진 사람들이 많았습니다. 그 덕분에 노벨 과학상도 많이 나오는 게 아닐까 생각해요. 우리나라는 노벨 과학상 수상자가 한 명도 없습니다. 이제 청소년과 일반 독자의 과학 수준을 높여 노벨 과학상 수상자가 매년 나오는 나라가 되게 하고 싶다는 게 제 소망입니다.

그동안 양자역학에 관한 책은 전 세계적으로 헤아릴 수 없을 정도로 많이 나왔고 앞으로도 계속 나오겠지요. 대부분의 책은 수식을 피하고 관련된 역사 이야기 중심으로 쓰여 있어요. 제가 보기에는 독자를 고려하여 수식을 너무 배제하는 것 같았습니다. 이제는 독자들의 수준도 많이 높아졌으니 수식을 피하지 말고 천재 과학자들의 오리지널 논문을 이해하길 바랐습니다. 그래서 앞으로 도래할 양자(量子, quantum)와 상대성 우주의 시대를 멋지게 맞이하도록 도우리라는 생각에서 이 기획을 하게 된 것입니다.

원고를 쓰기 위해 논문을 읽고 또 읽으면서 어떻게 이 어려운 내용을 독자들에게 알기 쉽게 설명할까 고민했습니다. 여기서 제가 설정한 독자는 고등학교 정도의 수식을 이해하는 청소년과 일반 독자입니다. 물론 이 시리즈의 논문에 그 수준을 넘어서는 내용도 나오지만 고등학교 수학만 알면 이해할 수 있도록 설명했습니다. 이 책을 읽으며 천재 과학자들의 오리지널 논문을 얼마나 이해할지는 독자들에 따라 다를 거라 생각합니다. 책을 다 읽고 100% 혹은 70%를 이해하거나 30% 미만으로 이해하는 독자도 있을 것입니다. 저의 생각으로는 이 책의 30% 이상 이해한다면 그 사람은 대단하다고 봅니다.

이 책에서 저는 양자역학의 탄생 과정을 다루었습니다. 1924년 드브로이의 물질파 논문, 1925년 하이젠베르크의 불확정성원리 논문, 1925년 보른과 요르단의 불확정성원리 논문, 1926년 슈뢰딩거의 슈뢰딩거 방정식 논문에 관한 내용이 차례로 등장합니다. 독자의 이해를 돕기 위해 광학의 역사로 이야기를 시작했습니다. 빛이 입자인가 파동인가의 논쟁은 아주 오래도록 계속되었고, 그 종지부를 찍은 것은 1924년 드브로이의 논문입니다. 이것은 이듬해 하이젠베르크가 불확정성원리를 발표하는 데 큰 역할을 하였습니다. 양자역학의 초기 영웅들의 이야기를 그들의 논문과 함께 살펴보는 일은 우리도 노벨 과학상을 받기 위해서 어떤 생각을 해야 하는지 되새기는 기회가 될 것입니다.

〈노벨상 수상자들의 오리지널 논문으로 배우는 과학〉 시리즈는 많은 이에게 도움을 줄 수 있다고 생각합니다. 과학자가 꿈인 학생과 그의 부모, 어릴 때부터 수학과 과학을 사랑했던 어른, 양자역학을 좀 더 알고 싶은 사람, 아이들에게 위대한 논문을 소개하려는 과학 선생님, 반도체나 양자 암호 시스템, 우주 항공 계통 등의 일에 종사하는 직장인, 〈인터스텔라〉를 능가하는 SF 영화를 만들고 싶어 하는 영화 제작자나 웹툰 작가 등 많은 사람들에게 이 시리즈를 추천합니다.

진주에서 정완상 교수

과학과 철학의 융합적 사고로 이룬 업적

기자　　오늘은 하이젠베르크의 불확정성원리 논문에 관해 파인먼 박사와의 인터뷰를 진행하겠습니다. 파인먼 박사는 양자전기역학으로 1965년 노벨 물리학상을 수상한 분이지요. 파인먼 박사님, 나와 주셔서 감사합니다.

파인먼　제가 제일 존경하는 과학자인 하이젠베르크의 논문에 관한 내용이라 만사를 제치고 달려왔습니다.

기자　　하이젠베르크는 어떤 사람인가요?

파인먼　그는 생각을 많이 하는 과학자입니다. 특히 양자역학의 문을 여는 불확정성원리로 유명한 물리학자예요. 하이젠베르크는 뮌헨 대학에서 유체의 운동을 연구했지요. 다른 많은 이론 물리학자들이 그렇듯 그 역시 실험에는 젬병이었어요. 반면 피아노 연주 실력이 매우 뛰어났고, 어린 시절부터 상당한 수준의 철학 교육을 받았어요. 그래서 나중에 《물리학과 철학》이라는 책을 내기도 했습니다. 자서전 격인 《부분과 전체》에서는 양자역학에서 제기되는 온갖 철학, 윤리, 사회, 정치, 종교적 주제를 다루었지요.

기자 하이젠베르크는 문과형과 이과형이 융합된 사람이군요.

파인먼 그렇습니다.

하이젠베르크의 불확정성원리

기자 불확정성원리를 간단히 설명해 주세요.

파인먼 전자는 질량이 매우 작고, 원자라는 아주 작은 세상에 살고 있습니다. 드브로이가 알아냈듯이 전자는 입자로도 파동으로도 해석될 수 있습니다. 이런 미시 세계에서 뉴턴 역학은 성립하지 않습니다. 뉴턴 역학에서는 물체의 위치를 알면 미분으로 속도를 결정할 수 있습니다. 하지만 하이젠베르크의 불확정성원리에 따르면 미시 세계의 전자에 대해 우리는 위치도 속도도 정확하게 알 수 없지요.

기자 오차가 있다는 말로 해석해도 되나요?

파인먼 맞습니다. 위치와 속도의 오차가 생기지요. 하이젠베르크는 질량에 속도를 곱한 운동량을 사용했습니다. 그러니까 위치와 운동량의 오차가 발생합니다. 하이젠베르크의 불확정성원리는 위치의 오차와 운동량의 오차의 곱이 플랑크 상수 정도의 크기가 된다는 것입니다. 즉, 위치의 오차와 운동량의 오차가 반비례한다는 의미이지요.

기자 한쪽의 오차를 작게 하면 다른 쪽의 오차가 커지겠군요.

파인먼 위치를 정확하게 측정하려고 하면(위치의 오차를 줄이면) 운동량의 오차는 커지고, 반대로 운동량의 오차를 줄이면 위치의 오차가 커집니다. 이것이 바로 하이젠베르크의 불확정성원리입니다.

기자 흥미롭네요.

불확정성원리 논문의 개요

기자 하이젠베르크의 1925년 논문에는 어떤 내용이 담겨 있나요?

파인먼 하이젠베르크는 드브로이의 물질의 이중성과 보어의 원자모형을 떠올렸습니다. 보어의 원자모형에서 전자가 가질 수 있는 에너지가 불연속적이라는 사실로부터, 이와 어울리는 전자의 위치와 운동량을 생각해 낸 것입니다. 이 연구는 나중에 동료인 보른에 의해 좀 더 다듬어지지만, 하이젠베르크는 전자의 위치와 운동량을 수로 나타내서는 전자의 불연속인 에너지를 설명할 수 없음을 처음으로 알아냈습니다. 이를 통해 전자의 위치나 운동량은 행렬이나 연산자로 표현해야 한다는 것을 발견했습니다. 이게 바로 불확정성원리를 이루는 기본 식이 되었죠.

기자 논문에서 알려진 새로운 사실은 뭐죠?

파인먼 하이젠베르크는 불확정성원리를 이용해 단조화 진동을 다루었습니다. 고전역학에서는 단조화 진동을 하는 물체의 에너지가 연속적으로 변하지만, 양자역학에서는 단조화 진동을 하는 전자의 에너지가 불연속적이 된다는 것을 알아냈지요.

기자 논문을 더 자세히 살펴보고 싶군요.

과학의 새로운 시대가 도래하다

기자　하이젠베르크의 1925년 논문은 어떤 변화를 가지고 왔나요?

파인먼　이 논문은 양자역학 시대를 열었습니다. 물론 1년 후 나온 슈뢰딩거의 논문과 더불어서 말이에요. 이때부터 물리학자들은 미시세계를 다룰 때 고전물리를 쓰지 않고 하이젠베르크의 불확정성원리와 슈뢰딩거 방정식을 사용하게 되었지요. 양자역학은 핵뿐만 아니라 고체와 별의 연구에도 활발하게 적용되어 핵물리, 고체물리, 항성물리 등 새로운 물리학 분야를 만들었어요. 그리고 양자 이론은 나중에 양자장론으로 발전되었습니다.

기자　파인먼 박사님이 노벨 물리학상을 받은 주제도 양자와 관련이 있나요?

파인먼　물론입니다. 제가 한 연구는 전자기학에 하이젠베르크의 불확정성원리를 적용하는 문제였습니다. 이것은 양자전자기학으로 불리게 되었고 저는 그 연구로 노벨 물리학상을 받았죠.

기자　그렇군요. 지금까지 하이젠베르크의 불확정성원리에 대해 파인먼 박사님의 이야기를 들어 보았습니다.

첫 번째 만남

•

광학의 역사

스넬의 법칙 _ 빛의 반사와 굴절

정교수 지금부터 양자역학의 탄생에 대해 알아보겠네. 드브로이의 물질파, 하이젠베르크의 불확정성원리, 슈뢰딩거의 방정식 등을 이야기할 거야. 그러려면 먼저 광학의 역사를 살펴봐야 해.

물리군 광학이라면 빛을 다루는 건가요?

정교수 맞아. 광학은 빛의 물리학이라고 생각하면 돼.

기원전 5세기 고대 그리스의 엠페도클레스는 모든 사물이 네 개의 기본 원소인 불, 공기, 흙, 물로 이루어졌다고 보았다. 그리스 신화에 나오는 올림포스 12신 중 미와 사랑의 여신 아프로디테가 이 네 원소로 사람의 눈을 만들었고, 그녀가 눈에 불을 붙여서 사람이 물체를 볼 수 있게 했다고 생각했다.

정교수 빛에 관한 성질을 최초로 발견한 사람은 그리스의 헤론이야.

헤론은 이집트의 알렉산드리아에서 주로 활동했기 때문에 알렉산드리아의 헤론 혹은 헤로(Hero)라고 불린다. 그가 언제 태어났는지, 언제 죽었는지는 분명하지 않다. 1938년에 고대 과학사의 권위자인 노이게바워(Otto Neugebauer)가 헤론의 저작인 《디옵터에 관하여(De la Dioptra)》에 언급된 월식의 연대를 기원후 62년으로 추정했다. 그 이후 헤론의 생존 시기는 기원후 10년부터 70년까지 정도로

헤론(Heron of Alexandria, 10?~70?)

받아들여지고 있다.

그가 살았던 시기, 즉 기원후 1세기는 헬레니즘 문명의 말기와 로마 문명의 초기에 해당한다. 알렉산드로스 대왕이 페르시아 제국을 정복한 기원전 330년부터 로마가 이집트를 병합한 기원전 30년까지는 헬레니즘 시대로 불린다. 당시에는 이집트의 알렉산드리아를 중심으로 과학이 번성했다. 헤론은 이집트인 또는 바빌로니아인으로 추정되며, 그리스에서 교육을 받았다.

헤론의 대표적인 업적은 공기에 대한 연구로 그가 쓴 책 《기체학》에 기술되어 있다. 더불어 그는 최초로 증기 기구를 발명했다고 알려졌다. 바로 기력구(aeolipile)라는 소형 증기 기구인데, '헤론의 엔진'으로도 불린다.

헤론의 기력구

위 그림에서 보듯이, 물을 가열하면 수증기가 되어 공 속으로 들어간다. 공에는 구부러진 갈고리형 분출관이 두 개 달려 있다. 수증기가 분출하면서 공은 빠르게 회전한다. 이러한 헤론의 기력구는 훗날 증기 기관으로 발전했다.

헤론은 기력구 이외에도 다양한 발명품을 선보였다. 그가 발명한 것으로는 물의 힘으로 움직이는 수력 오르간, 자동 연극 장치, 동전을 던져 넣으면 성수가 흘러나오는 자동 성수기 등이 있다.

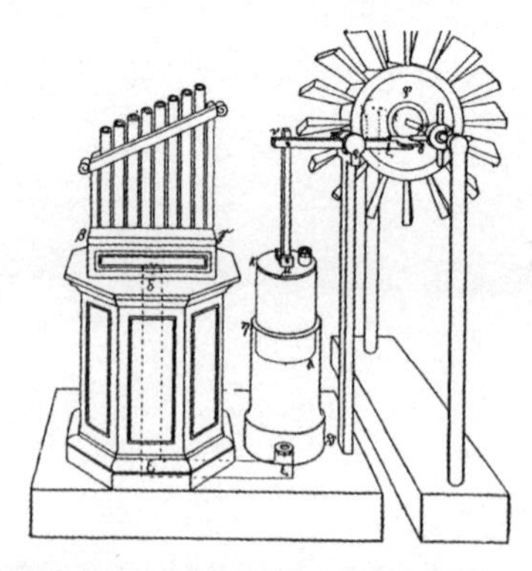
헤론의 수력 오르간

물리군　광학에서 헤론의 업적은 뭐죠?

정교수　헤론은 평면거울에서 반사된 광선이 지나는 경로가 가장 짧은 경우를 찾았어. 평면거울에 빛이 반사될 때 입사각과 반사각이 같은 것을 처음 알아낸 셈이지.

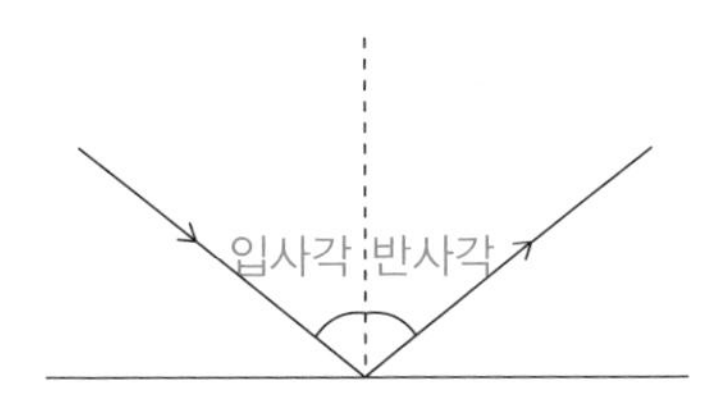

물리군　빛의 반사 법칙이군요. 그럼 굴절에 대한 법칙은 누가 발견했나요?

정교수　굴절에 관한 연구는 중세 시대 유럽에서 시작되었어.

1611년 독일의 케플러는 작은 각도에서 굴절의 법칙을 연구했다. 그는 대기에 의한 빛의 굴절이나 평면 및 곡면 거울에 의한 반사 등을 조사했다. 하지만 빛의 굴절에 대한 명확한 법칙을 찾은 사람은 네덜란드의 스넬이다.

스넬(Willebrord van Roijen Snell, 1580~1626)

1621년 네덜란드 레이던 대학의 물

리학자 스넬은 '스넬의 법칙'으로 알려진 빛의 굴절 법칙을 발견했다. 그는 빛이 공기에서 물로 들어가면서 굴절할 때, 입사각과 굴절각 사이의 관계가 공기 중과 물속에서의 빛의 속도와 관련 있다는 것을 알아냈다.

아래 그림에서 화살표는 빛의 경로를 나타낸다.

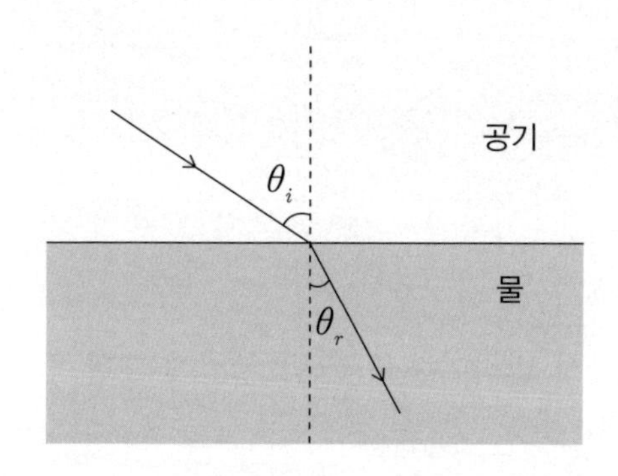

그림을 참고하여 다음과 같이 놓아 보자.

(입사각) $= \theta_i$

(굴절각) $= \theta_r$

(공기 중에서 빛의 속도) $= v$

(물속에서 빛의 속도) $= v'$

스넬의 굴절 법칙은 다음과 같다.

$$\frac{\sin\theta_i}{\sin\theta_r} = \frac{v}{v'} \qquad (1\text{-}1\text{-}1)$$

물리군 빛의 반사 법칙은 헤론, 굴절 법칙은 스넬이 알아낸 거군요.

정교수 맞아. 하지만 사람들은 헤론이 한 일을 잘 모르기 때문에 스넬의 반사 법칙과 스넬의 굴절 법칙이라고 불러. 앞으로는 그냥 스넬의 법칙으로 통일하겠네.

페르마의 최소 시간 원리 _ 스넬의 법칙을 증명하다

물리군 빛이 왜 스넬의 법칙을 만족하죠?

정교수 이 문제를 수학적으로 고민한 사람이 있었다네. 바로 페르마의 마지막 정리로 유명한 페르마야.

페르마(Pierre de Fermat, 1607~1665)

페르마는 1607년 프랑스 타른에가론주 보몽드로마뉴에서 부영사이자 피혁 가게를 운영하던 도미니크 페르마(Dominique Fermat)와 법의학자 가문의 딸이었던 클레르 드 롱(Claire de Long) 사이에서 태어났다.

그는 1623년 오를레앙 대학교 법학과에 입학해 1626년에 졸업했다. 언어 공부하는 것을 아주 좋아했던 그는 모국어인 프랑스어 외에도 라틴어, 그리스어, 이탈리아어, 스페인어, 오크어 등을 구사할 수 있었다.

대학을 졸업한 페르마는 프랑스 서부에 있는 보르도에서 변호사 생활을 했다. 이때 많은 책을 읽었는데, 고대 그리스 수학자 아폴로니오스의 논문을 본 후 수학의 아름다움에 빠졌다. 이후 취미로 수학 공부를 시작하면서 수학에 더 깊이 파고들었다. 그리고 데카르트, 메르센과 같은 유명한 수학자들과 편지를 주고받았다.

더 나아가 페르마는 디오판토스의 책을 읽고 정수의 신비에 매료되어 소수에 대한 많은 연구를 했다. 평생 동안 취미로 수학을 연구한 그는 그 유명한 페르마의 마지막 정리를 발표했다.

물리군 대단한 사람이군요. 수학을 전공하지도 않았는데 수학자가 되다니!

정교수 그렇지. 페르마가 광학에 기여한 부분은 최소 시간의 원리야.

이제 페르마의 원리를 써서 스넬의 반사 법칙을 증명하겠다. 다음 그림을 보자.

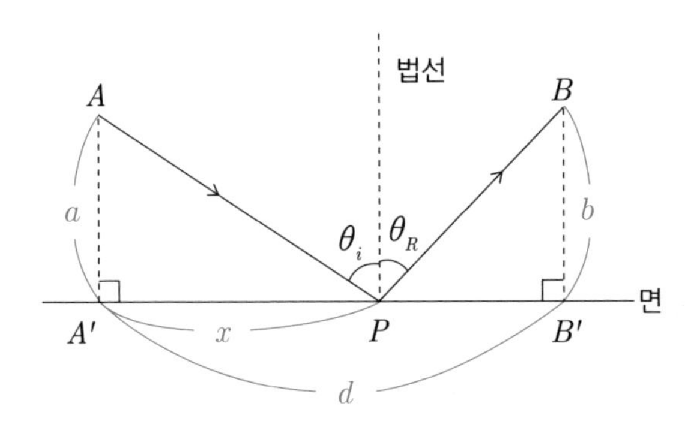

A에서 출발한 빛이 면 위의 점 P에서 반사되어 B로 가는 경우를 생각하자. 여기서 빛의 속도를 v라 하고, 빛이 AP를 여행하는 데 걸린 시간을 t_{AP}, PB를 여행하는 데 걸린 시간을 t_{PB}라고 하자. 이때 빛이 A에서 출발해 P에서 반사되어 B로 가는 데 걸린 시간을 t라고 하면

$$t = t_{AP} + t_{PB}$$

이고,

$$\overline{AP} = vt_{AP}$$

$$\overline{PB} = vt_{PB}$$

이므로

$$t = \frac{\overline{AP}}{v} + \frac{\overline{PB}}{v}$$

가 된다. 피타고라스 정리로부터

$$\overline{AP} = \sqrt{a^2 + x^2}$$

$$\overline{PB} = \sqrt{(d-x)^2 + b^2}$$

이므로

$$t = \frac{\sqrt{a^2 + x^2}}{v} + \frac{\sqrt{(d-x)^2 + b^2}}{v} \tag{1-2-1}$$

이 된다. 페르마는 빛이 t가 최소가 되는 경로를 택한다고 생각했다. 이것은 t를 x로 미분한 값이 0이 되어야 함을 의미한다. 즉,

$$\frac{dt}{dx} = \frac{1}{v}\left(\frac{x}{\sqrt{a^2 + x^2}} - \frac{d-x}{\sqrt{(d-x)^2 + b^2}}\right) = 0$$

또는

$$\frac{x}{\sqrt{a^2 + x^2}} = \frac{d-x}{\sqrt{(d-x)^2 + b^2}} \tag{1-2-2}$$

이다. 한편 $\theta_i = \angle A'AP$이고 $\theta_R = \angle PBB'$이므로 식 (1-2-2)는

$$\sin\theta_i = \sin\theta_R$$

로 나타낼 수 있다. 이것은

$$\theta_i = \theta_R \tag{1-2-3}$$

를 뜻하므로 빛이 반사할 때 페르마의 최소 시간 원리를 따른다면 입사각과 반사각이 같아야 한다.

물리군　굴절의 법칙도 페르마의 최소 시간 원리를 따르나요?

정교수　물론이야. 이번에는 굴절에 대한 페르마의 원리를 설명하겠네.

이제 페르마의 원리를 써서 스넬의 굴절 법칙을 증명하겠다. 다음 그림을 보자.

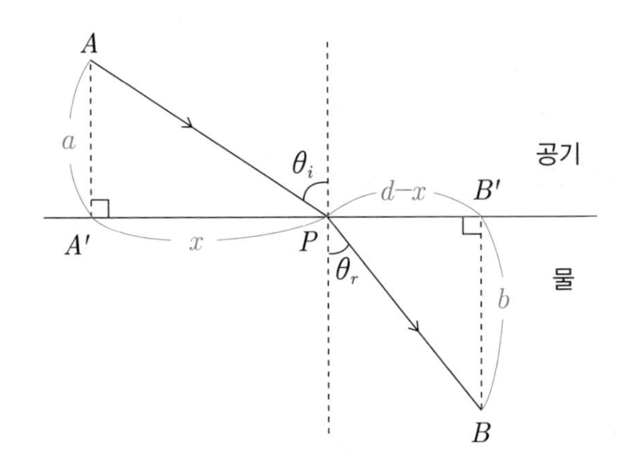

A에서 출발한 빛이 면 위의 점 P에서 굴절되어 B로 가는 경우를 생각하자. 공기 중에서 빛의 속도를 v, 물속에서 빛의 속도를 v'이라고 하자. 또한 빛이 AP를 여행하는 데 걸린 시간을 t_{AP}, PB를 여행하는 데 걸린 시간을 t_{PB}라고 하자. 이때 빛이 A에서 출발해 P에서 굴절되어 B로 가는 데 걸린 시간을 t라고 하면

$$t = t_{AP} + t_{PB}$$

이고,

$$\overline{AP} = vt_{AP}$$

$$\overline{PB} = v't_{PB}$$

이므로

$$t = \frac{\overline{AP}}{v} + \frac{\overline{PB}}{v'}$$

가 된다. 피타고라스 정리로부터

$$\overline{AP} = \sqrt{a^2 + x^2}$$

$$\overline{PB} = \sqrt{(d-x)^2 + b^2}$$

이므로

$$t = \frac{\sqrt{a^2 + x^2}}{v} + \frac{\sqrt{(d-x)^2 + b^2}}{v'} \tag{1-2-4}$$

이 된다. 페르마는 빛이 t가 최소가 되는 경로를 택한다고 생각했다. 이것은 t를 x로 미분한 값이 0이 되어야 함을 의미한다. 즉,

$$\frac{dt}{dx} = \frac{x}{v\sqrt{a^2 + x^2}} - \frac{d-x}{v'\sqrt{(d-x)^2 + b^2}} = 0$$

또는

$$\frac{x}{v\sqrt{a^2 + x^2}} = \frac{d-x}{v'\sqrt{(d-x)^2 + b^2}} \tag{1-2-5}$$

이다. 한편 $\theta_i = \angle A'AP$이고 $\theta_r = \angle PBB'$이므로 식 (1-2-5)는

$$\frac{\sin\theta_i}{v} = \frac{\sin\theta_r}{v'} \tag{1-2-6}$$

로 나타낼 수 있다. 이것이 바로 스넬의 굴절 법칙이다.

물리군 미분으로 깔끔하게 증명되네요.

훅의 법칙과 단조화 진동 _ 원래대로 돌아가자!

정교수 이번에는 뉴턴과 동시대의 과학자 훅의 이야기를 하려고 해.

훅(Robert Hooke, 1635~1703,
출처: Rita Greer/Wikimedia Commons)

훅은 1635년 영국 와이트섬의 프레시워터에서 태어나 성공회 신부인 아버지 밑에서 자랐다. 어릴 때부터 허약했던 그를 위해 아버지는 집에서 교육을 했다. 1648년 아버지의 죽음으로 훅은 40파운드를 물려받았다. 런던 웨스트민스터 학교에 입학해서는 라틴어와 그리스어를 배우며 유클리드의 《원론》을 공부했다. 그는 오르간 연주에도 재능이 있었다.

1651년 훅은 16세의 어린 나이로 옥스퍼드 대학교의 크라이스트처치 대학에 입학했다. 1653년에는 옥스퍼드 크라이스트 교회 성가대원이 되었고, 해부학 권위자인 윌리스(Thomas Willis)의 화학 조수로 일했다. 윌리스는 옥스퍼드에서 자연철학 토론 동아리인 옥스퍼드 철학

클럽을 만들었는데, 훅은 이때 화학자 보일을 만났다. 이 클럽은 1660년 영국 왕립 학회(Royal Society)의 탄생에 일조했다.

영국 런던에 흑사병이 크게 유행했던 1665년, 훅은 자신이 직접 만든 현미경으로 코르크에서 세포를 발견했다. 그는 눈과 접안렌즈가 일정한 거리를 유지하도록 눈을 댈 수 있는 부분을 만들었다. 또한 현미경 몸통의 경통을 분리하고, 그것을 기울어지게 하였다. 접안렌즈와 경통 안에는 중간 렌즈를 두었는데, 이 때문에 색과 모양이 일그러지는 문제가 발생했다. 훅은 이를 해결하기 위해 조리개를 만들어 주변의 빛을 조절했다.

훅의 현미경

훅은 타고난 실험 과학자로 수많은 실험을 수행하고 다양한 이론을 만들며 일생을 보냈다. 하지만 같은 시대에 활동했던 최고의 물리학자 뉴턴의 그늘에 가려 제대로 빛을 보지 못했다.

물리군 훅이 광학의 역사에서 어떤 업적을 남겼나요?

정교수 파동을 이해하려면 먼저 진동에 대해 알아야 하는데 이 진동을 최초로 연구한 사람이 바로 훅이었다네.

1660년 훅은 용수철의 탄성에 대한 성질로 유명한 훅의 법칙을 발표했다. 그는 용수철을 어떤 힘으로 잡아당겨 늘어난 길이는 이 힘에 비례한다는 것을 알아냈다.

이번에는 용수철의 입장에서 생각해 보자. 용수철을 잡아당기면 원래 길이로 돌아가고 싶어 하는 힘이 생긴다. 이것을 용수철의 탄성력이라고 하는데, 잡아당긴 힘과 크기는 같고 방향은 반대이다. 그러므로 용수철이 x만큼 늘어나 있을 때 용수철의 탄성력 F는 다음과 같다.

$$F = -kx \tag{1-3-1}$$

여기서 음의 부호는 당긴 힘과 반대 방향을 나타내고, 비례상수 k는 용수철 상수 또는 훅 상수라고 부른다.

용수철을 압축하면 그 길이가 원래보다 줄어든다. 이때 탄성력의 방향은 용수철이 원래 길이로 돌아가려는 방향이다.

이제 다음 그림과 같이 용수철에 질량이 m인 물체가 매달려 있는 경우를 생각하자. 용수철이 원래 길이일 때 물체는 움직이지 않는다. 이때 물체의 위치 좌표를 0이라고 하자. 즉, $x = 0$이 된다. 이 위치를 평형 위치라고 부른다.

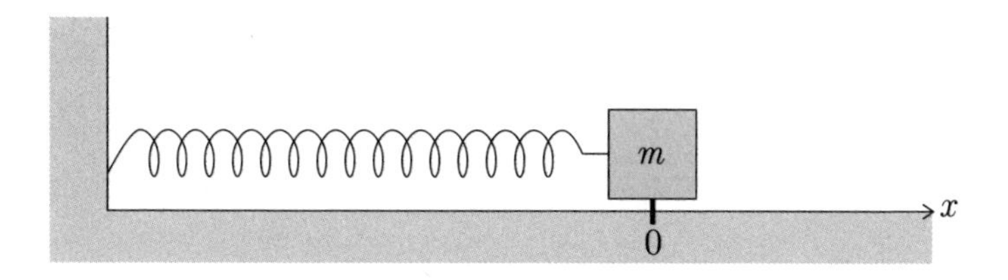

용수철이 늘어난 경우를 보자.

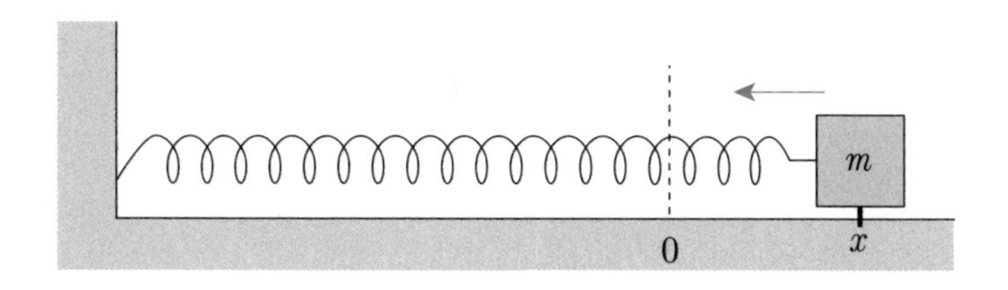

이때 $x > 0$이며, 용수철에 매달린 물체는 탄성력 $-kx$를 받는데 방향은 ←이다.

이번에는 용수철을 압축한 경우를 보자.

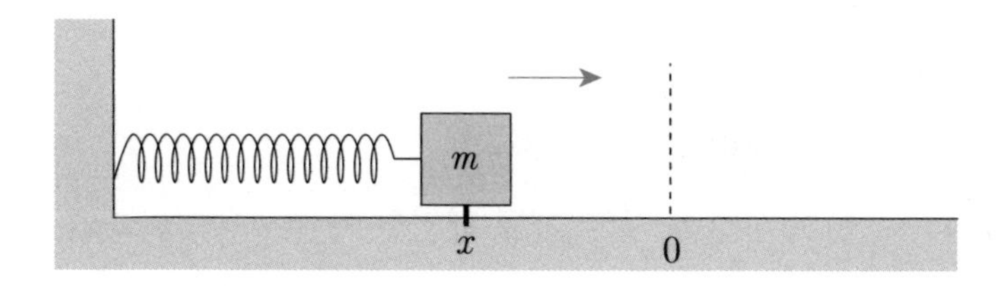

이때 $x < 0$이며, 용수철에 매달린 물체는 탄성력 $-kx$를 받는데 방향은 →이다.

물리군 용수철에 매달린 물체는 오른쪽과 왼쪽을 왔다 갔다 하는 운동을 계속하겠군요.

정교수 맞아. 평형 위치를 중심으로 왔다 갔다 하는 이런 운동을 진동이라고 부르지.

용수철에 매달린 질량 m인 물체는 힘(탄성력)을 받으므로 가속도를 갖는다. 이 문제에 대한 뉴턴의 운동방정식은

$$ma = -kx \quad (1\text{-}3\text{-}2)$$

이다. 처음 시간을 $t=0$이라 하고 이때 물체의 위치를 A라고 하자. 여기서 A는 양수이다.

물리군 A가 양수이니까 용수철은 늘어나 있었군요.

정교수 그렇지. 이제 시각 t일 때 물체의 위치를 구해 보겠네.

물리군 이건 훅의 업적이에요?

정교수 아니.

물리군 그럼 뉴턴이 한 일인가요?

정교수 그것도 아니야. 이 문제를 해결한 사람은 네덜란드의 하위헌스일세.

하위헌스는 가속도에 대한 뉴턴의 정의를 떠올렸다.

$$a = \frac{d^2 x}{dt^2} \quad (x = x(t))$$

따라서 식 (1-3-2)는

$$m\frac{d^2 x}{dt^2} = -kx \tag{1-3-3}$$

가 되고,

$$x(0) = A$$

를 만족한다. 한편 하위헌스는 라이프니츠가 찾아낸 삼각함수의 미분법을 생각했다.

$$\frac{d}{dt}\sin at = a\cos at \tag{1-3-4}$$

$$\frac{d}{dt}\cos at = -a\sin at \tag{1-3-5}$$

또한 삼각함수를 두 번 미분하면 다음과 같음을 알고 있었다.

$$\frac{d^2}{dt^2}\sin at = -a^2\sin at \tag{1-3-6}$$

$$\frac{d^2}{dt^2}\cos at = -a^2\cos at \tag{1-3-7}$$

이 식들과 식 (1-3-3)을 비교할 때, 식 (1-3-3)의 해 $x(t)$는 $\sin at$나

$\cos at$에 비례해야 한다고 생각했다. 그런데 $x(0)=A \neq 0$ 이므로 $x(t)$는 $\cos at$에 비례한다.[1] 하위헌스는

$$x(t) = D\cos at$$

라고 두었다. $x(0) = A$ 이므로 $D = A$가 된다.[2] 즉,

$$x(t) = A\cos at \qquad (1\text{–}3\text{–}8)$$

이다. 이 식에서

$$\frac{d^2x}{dt^2} = -a^2A\cos at = -a^2x$$

이므로 식 (1–3–3)과 비교하면

$$a = \sqrt{\frac{k}{m}}$$

가 된다. 따라서 식 (1–3–3)의 해는

$$x(t) = A\cos\sqrt{\frac{k}{m}}\,t \qquad (1\text{–}3\text{–}9)$$

이다. 하위헌스는 이 운동이 주기적인 진동임을 발견했다. 그것은 삼각함수가 주기함수이기 때문이다. 즉, 일정 시간이 경과한 후 처음 A

---

1) $\sin(k \times 0) = 0$이기 때문이다.

2) $\cos 0 = 1$을 이용했다.

에 있던 물체가 다시 A로 돌아온다는 것이다. 이 시간을 진동의 주기[3]라 하고 T라고 쓴다. 따라서

$$x(t+T)=x(t) \tag{1-3-10}$$

또는

$$A\cos\sqrt{\frac{k}{m}}(t+T)=A\cos\sqrt{\frac{k}{m}}t$$

또는

$$A\cos\left(\sqrt{\frac{k}{m}}t+\sqrt{\frac{k}{m}}T\right)=A\cos\sqrt{\frac{k}{m}}t$$

가 된다. 그러므로

$$\sqrt{\frac{k}{m}}T=2\pi \tag{1-3-11}$$

이다.[4] 즉, 진동의 주기는

$$T=2\pi\sqrt{\frac{m}{k}} \tag{1-3-12}$$

이 된다. 이렇게 주기적인 운동을 하는 진동을 단조화 진동(simple

3) 주기 중에서 가장 짧은 주기를 생각한다.

4) $\cos(x+2\pi)=\cos x$를 이용했다.

harmonic oscillator)이라고 부른다.

이때 주기의 역수를 진동수라 하고 ν로 나타낸다.

$$\nu = \frac{1}{T} \tag{1-3-13}$$

물리학자들은 각진동수를

$$w = \frac{2\pi}{T} = 2\pi\nu \tag{1-3-14}$$

로 정의한다. 그러므로 뉴턴의 방정식 (1-3-3)은 다음과 같이 쓸 수 있다.

$$\frac{d^2x}{dt^2} = -w^2x \tag{1-3-15}$$

뉴턴의 입자설과 하위헌스의 파동설 _ 빛은 입자일까, 파동일까

물리군 빛은 입자인가요, 파동인가요?

정교수 뉴턴은 프리즘을 통과한 빛이 일곱 개의 색으로 분산되는 것을 보고, 빛은 여러 가지 색깔의 입자가 섞여 있다고 생각했어.

뉴턴은 빛이 입자들로 이루어졌다고 여기고 빛의 반사 법칙과 굴절 법칙을 설명했다. 1704년 그는 빛에 관한 책인 《광학(Opticks)》

을 출간했다.

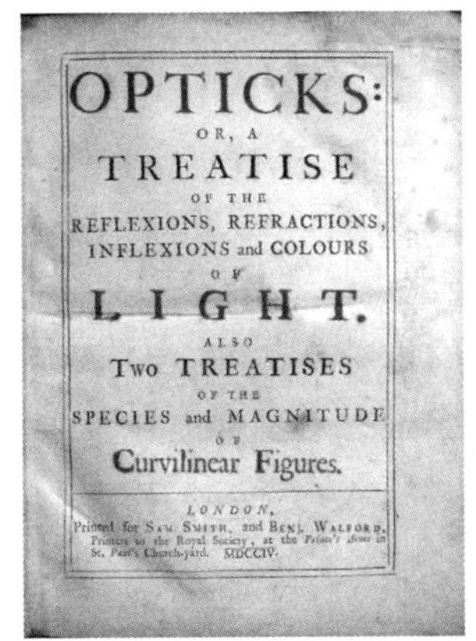
OPTICKS:
OR, A
TREATISE
OF THE
REFLEXIONS, REFRACTIONS,
INFLEXIONS and COLOURS
OF
LIGHT.
ALSO
Two TREATISES
OF THE
SPECIES and MAGNITUDE
OF
Curvilinear Figures.

LONDON,
Printed for SAM. SMITH, and BENJ. WALFORD,
Printers to the Royal Society, at the Prince's Arms in
St. Paul's Church-yard. MDCCIV.

뉴턴의 《광학》

한편 하위헌스는 1678년에 일반적인 파동에 대한 수학 이론을 만들었고, 1690년에는 빛이 사방으로 전파되는 파동이라고 주장했다. 이때부터 빛의 입자설과 파동설이 대립하기 시작했다. 뉴턴의 입자설과 하위헌스의 파동설 중 무엇이 우세한지 증거는 발견되지 않았으나, 뉴턴의 명성에 의해 입자설이 더 많은 지지를 받았다.

그럼 파동에 대해 조금 살펴보자. 파동은 진동이 옆으로 퍼져 나가는 것을 의미한다. 벽에 줄을 매달아 흔들어 보면 다음과 같은 모습의 파동이 만들어짐을 알 수 있다.

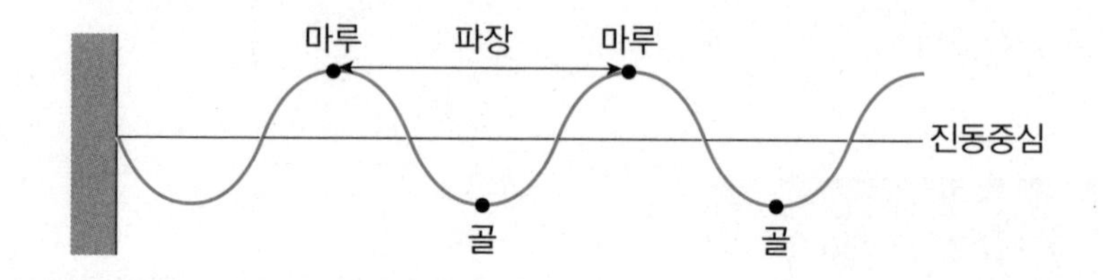

이때 파동의 가장 높은 부분을 마루, 가장 낮은 부분을 골이라 하고, 마루와 마루 사이의 거리를 파장이라고 부른다. 파장은 주로 λ로 나타낸다. 또한 진동중심으로부터 마루나 골까지의 거리를 진폭이라고 한다. 이렇게 줄에 생긴 파동에서는 줄을 이루는 질점(질량을 가진 점)의 오르락내리락하는 진동이 옆으로 퍼져 나간다.

하위헌스는 파동이 사인함수 모양이라는 것을 알아냈다. 그는 진동중심으로부터 질점의 위치를 파동의 변위라고 불렀다.

이제 파동의 변위를 ψ로 놓자. 질점은 진동중심 주위를 오르내리므로 질점이 진동중심보다 위에 있으면 파동의 변위는 양수이고, 진동중심보다 아래에 있으면 변위는 음수이다. 물론 질점이 진동중심에 있는 경우에는 변위가 0이다. 파동의 변위는 시간과 위치에 따라서 달라지므로 위치를 x, 시각을 t라고 하면

$$\psi(x, t)$$

가 된다. 시각 $t=0$일 때 파동[5]을

5) 파동의 변위를 나타내는 식이지만 일반적으로 파동이라고 부른다.

$$\psi(x, 0) = \psi_0 \sin(kx + \phi)$$

라고 하자. 여기서 ϕ를 초기 위상이라고 부른다. 두 번째 만남에서 논의할 드브로이의 물질파 논문과 맞추기 위해 $\phi = -\frac{\pi}{2}$라고 선택하자. 그러면

$$\psi(x, 0) = \psi_0 \sin\left(kx - \frac{\pi}{2}\right) = -\psi_0 \cos kx$$

가 된다. 이때 $-\psi_0 = A$로 놓으면

$$\psi(x, 0) = A \cos kx$$

이다. 파동은 t시간 동안 v의 속도로 움직여도 그 모습이 달라지지 않는다. 즉, t시간 동안 움직인 거리는 vt이므로 이만큼 평행이동해도 파동의 모양은 변함없다. x를 $x - vt$로 바꾸어도 파동의 모습이 그대로라는 사실로부터, 임의의 시각과 위치에서 파동은

$$\psi(x, t) = A \cos(k(x - vt))$$

로 쓸 수 있다.

파동은 위치와 시간에 대한 주기를 갖는다. 시간에 대한 주기를 주기 T라 하고, 위치에 대한 주기를 파장 λ라고 한다. 즉,

$$\psi(x, t + T) = \psi(x, t)$$

$$\psi(x + \lambda, t) = \psi(x, t)$$

가 된다. 그러므로

$$k = \frac{2\pi}{\lambda} \tag{1-4-1}$$

$$T = \frac{\lambda}{v} \tag{1-4-2}$$

이다.

이번에는 진동수를 알아보자. 질점이 한 번 진동(제자리 → 올라갔다 → 제자리→내려갔다 → 제자리)을 완료하는 데 걸리는 시간이 주기 T이다. 예를 들어 질점이 한 번 진동하는 데 0.5초 걸렸다면 이 파동의 주기는 0.5s[6]이다. 한 주기 동안 파동은 한 파장만큼 이동한다. 파동의 속도를 v라고 하면

$$(\text{거리}) = (\text{속도}) \times (\text{시간})$$

으로부터

$$\lambda = vT \tag{1-4-3}$$

이다. 이때 1초 동안 매질이 진동한 횟수를 진동수라고 한다.

예를 들어 주기가 0.5s인 파동을 보자. 주기는 질점이 한 번 진동하는 시간이므로 이 파동의 진동수를 ν라고 하면

$$1\text{번} : 0.5\text{s} = \nu\text{번} : 1\text{s}$$

---

6) 초는 영어로 second이므로 줄여서 s라고 쓴다.

가 되어

$$0.5 \times \nu = 1$$

$$\nu = \frac{1}{0.5} = 2\left(\frac{1}{\mathrm{s}}\right)$$

이다. 여기서 $\frac{1}{\mathrm{s}}$을 Hz로 쓰고 헤르츠라고 읽는다. 즉, 주기가 0.5초인 파동의 진동수는 2Hz이다.

일반적으로 주기가 T라면 진동수 ν는

$$\nu = \frac{1}{T} \tag{1-4-4}$$

이다. $\lambda = vT$를 진동수로 나타내면

$$\lambda = \frac{v}{\nu} \tag{1-4-5}$$

가 된다. 마찬가지로 각진동수는

$$w = \frac{2\pi}{T} = 2\pi\nu \tag{1-4-6}$$

이다. 따라서 파동을 파장과 각진동수로 나타내면

$$\psi(x, t) = A\cos\left(\frac{2\pi}{\lambda}x - wt\right) \tag{1-4-7}$$

가 된다.

이제 파동이 만족하는 방정식을 찾아보자. 식 (1-4-7)을 x로 두 번 편미분하면

$$\frac{\partial^2 \psi}{\partial x^2} = -k^2 A\cos(kx - wt) = -k^2\psi$$

이고, 식 (1-4-7)을 t로 두 번 편미분하면

$$\frac{\partial^2 \psi}{\partial t^2} = -w^2 A\cos(kx - wt) = -w^2\psi$$

이다. 그러니까 파동은

$$\frac{\partial^2 \psi}{\partial x^2} = \frac{k^2}{w^2}\frac{\partial^2 \psi}{\partial t^2}$$

을 만족한다.

$$\frac{k}{w} = \frac{2\pi}{\lambda} \times \frac{T}{2\pi} = \frac{T}{\lambda}$$

이고, 파장은 파동의 속도와 주기의 곱($\lambda = vT$)이니까

$$\frac{k}{w} = \frac{1}{v}$$

이 되어, 속도 v로 진행하는 파동의 파동방정식은 다음과 같다.

$$\frac{\partial^2 \psi}{\partial x^2} = \frac{1}{v^2}\frac{\partial^2 \psi}{\partial t^2} \qquad (1-4-8)$$

빛을 파동으로 생각하면 빛은 식 (1–4–8)에 의해 묘사할 수 있다. 빛의 속력을 c라고 하면

$$\lambda = cT = \frac{c}{\nu}$$

이다.

영의 실험과 빛의 파동설 _ 밝고 어두운 무늬를 관측하다

정교수 입자설과 파동설의 대립에 일단락을 지은 사람은 영국의 물리학자 영이야.

영(Thomas Young, 1773~1829)

영은 영국 밀버턴에서 십 남매 중 장남으로 태어났다. 그는 1792년 런던의 성 바돌로매 병원에서 의학을 공부했고, 1794년에 에든버러 대학교 의과대학으로 옮겼다. 그 후 독일 괴팅겐 대학으로 가서 1796년에 의학박사 학위를 받았다.

1797년 영은 조부인 리처드 브로클즈비(Richard Brocklesby)의 재산을 물려받아 재정적으로 독립했고, 1799년에는 런던에서 의사 생활을 했다. 의사로 일하는 틈틈이 물리학을 연구하던 그는 1801년 왕립 연구소의 물리학 교수로 임명되었다. 그러나 의료 활동에 방해가 된다고 생각하여 1803년에 교수직을 사임했다.

물리군 영은 의사인데 어떻게 광학의 역사에 등장하죠?

정교수 물리학 교수로 일하던 시절 영은 광학에 있어서 아주 중요한 실험을 했어. 1803년 11월 24일 런던 왕립 학회에서 이 실험 결과를 발표했지.

그 놀라운 실험에 대해 알아보자. 영은 빛을 이중 슬릿[7]으로 통과시킨 후 뒤에 스크린을 설치해 밝음과 어두움이 교대로 나타나는 무늬를 얻었다.

---

7) 길쭉하게 갈라진 틈

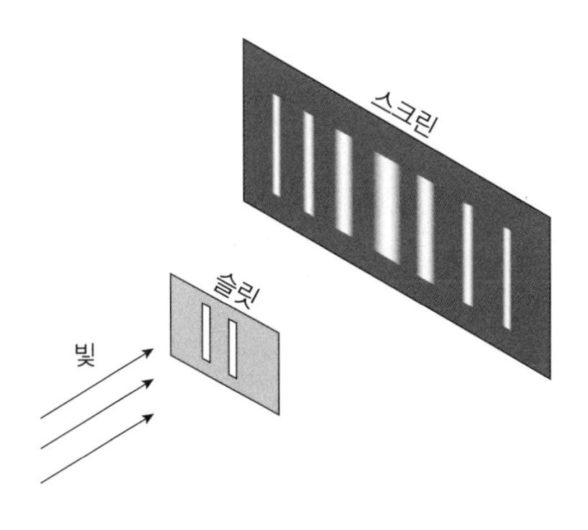

영은 빛이 입자라면 이러한 무늬는 절대로 관측할 수 없지만, 빛이 파동이라면 밝음과 어두움이 교대로 나타나는 상을 얻을 수 있다는 걸 알아냈다.

물리군 빛이 파동이면 왜 밝음-어두움 무늬를 볼 수 있나요?

정교수 파동의 간섭현상 때문이야. 두 개의 파동이 합쳐질 때 파동의 변위가 보강되어 커지거나, 변위가 0으로 상쇄되어 파동이 작아질 수 있거든. 이러한 현상을 두 파동의 간섭이라고 하는데 보강이 일어나는 경우를 보강 간섭, 상쇄가 일어나는 경우를 상쇄 간섭이라고 부른다네.

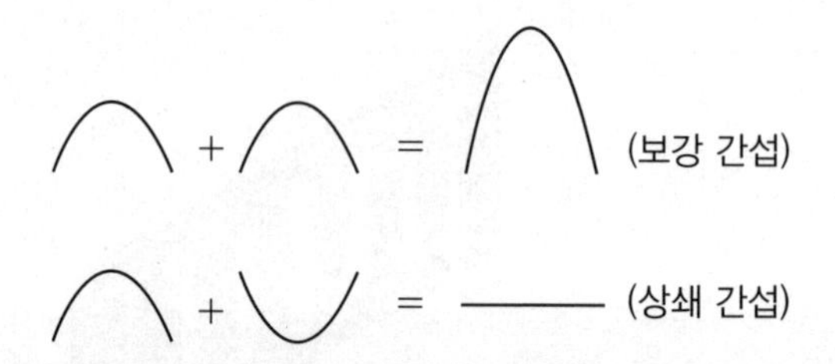

빛을 파동으로 간주할 때 보강 간섭이 일어나면 빛이 밝아지는 밝은 상이 만들어지고, 상쇄 간섭이 일어나면 빛의 변위가 0이 되니까 어두운 상이 생긴다.

물리군 영의 실험에서는 어떤 파동들이 간섭을 일으키는 거예요?

정교수 슬릿이 두 개잖아? 각각의 슬릿을 통과한 두 빛이 보강 간섭을 일으킨 곳은 밝은 상, 상쇄 간섭을 일으킨 곳은 어두운 상이 되지.

빛을 파동으로 묘사해서 영의 이중 슬릿 실험을 설명해 보자. 실험 장치를 다음과 같이 나타내겠다.

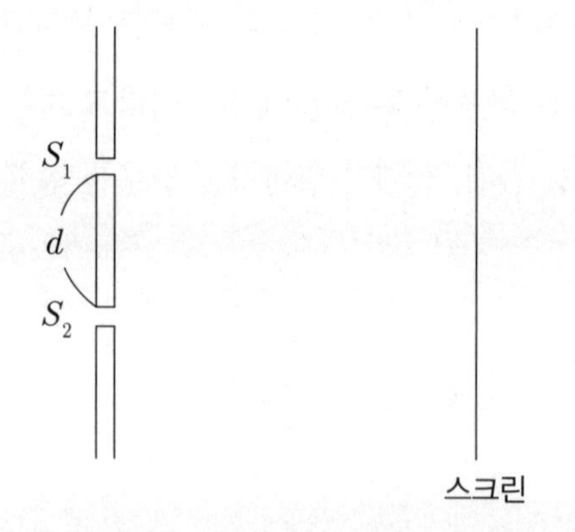

두 슬릿의 위치는 S_1, S_2이고, 슬릿과 슬릿의 간격은 d로 놓았다. 여기서 다음과 같이 점들을 도입하자.

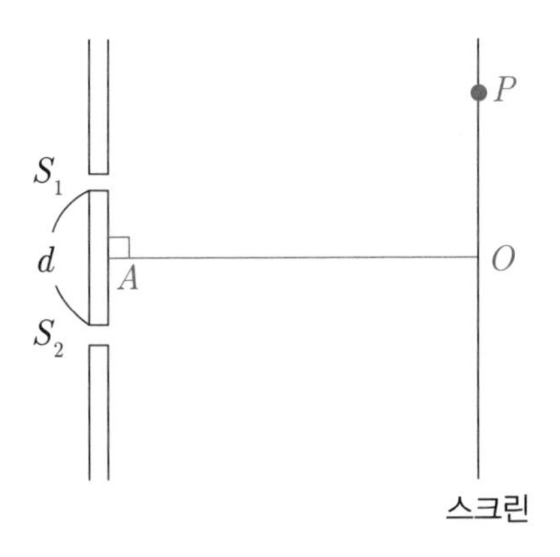

A는 두 슬릿 사이의 가운데 점이고 O와 P는 스크린 위의 점이다. 이제 각 슬릿 S_1과 S_2를 통과해 P에 도달한 빛을 나타내 보자.

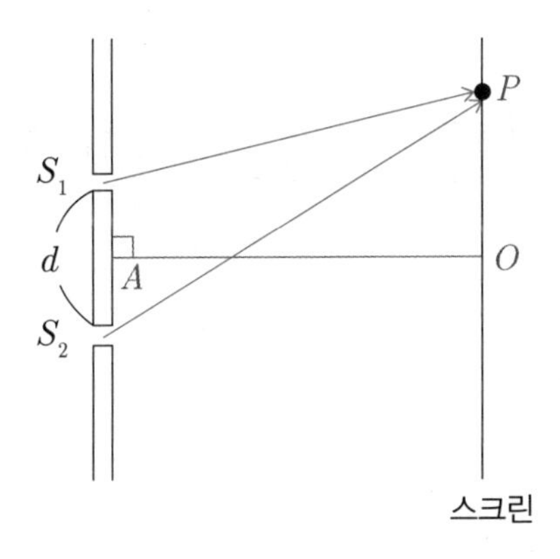

이 두 파동이 스크린상에서 보강 간섭이 될 조건과 상쇄 간섭이 될 조건을 구해 보자. 그림에서 보듯이 슬릿 S_1을 통과한 빛보다는 슬릿 S_2를 통과한 빛이 더 긴 거리를 움직였다. 이제 다음 그림과 같이 거리를 나타내자.

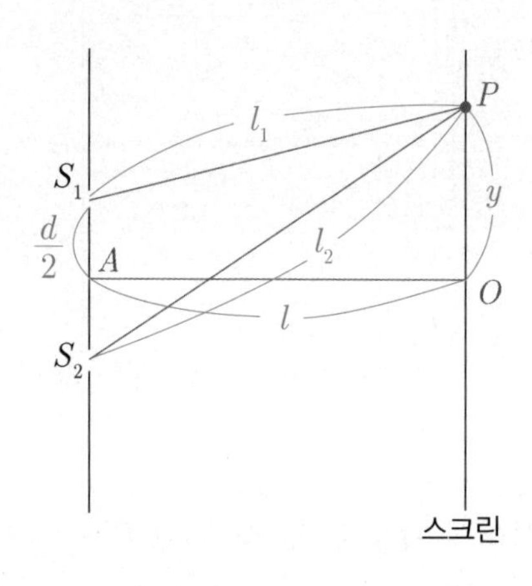

P의 좌표를 y라고 하자. 만일 y가 양수이면 P는 O보다 위에 있고, y가 음수이면 P는 O보다 아래에 있다. 간단히 하기 위해 여기서는 y가 양수인 경우를 설명한다. 피타고라스 정리에 의해

$$l_1^2 = \left(y - \frac{d}{2}\right)^2 + l^2 \tag{1-5-1}$$

$$l_2^2 = \left(y + \frac{d}{2}\right)^2 + l^2 \tag{1-5-2}$$

이다. 식 (1–5–2)에서 식 (1–5–1)을 빼면

$$l_2^2 - l_1^2 = 2dy \tag{1-5-3}$$

이고, 이 식을 인수분해 하면

$$(l_2 - l_1)(l_2 + l_1) = 2dy \tag{1-5-4}$$

이다. 영은 슬릿 사이의 간격이 충분히 작은 경우를 생각했다. 즉, d가 l에 비해 충분히 작으면 $l_1 \approx l_2 \approx l$이므로 $l_1 + l_2 \approx 2l$이 되어,

$$(l_2 - l_1) \times 2l = 2dy$$

또는

$$\Delta = l_2 - l_1 = \frac{dy}{l} \tag{1-5-5}$$

이다. 이때 Δ는 P에 도달한 두 빛이 움직인 거리의 차이를 뜻하며 이를 경로차라고 부른다. 그러므로 슬릿 S_1을 통과해 P에 도달한 빛을

$$\psi_1(x, t) = A\cos\left(\frac{2\pi}{\lambda}x - wt\right) \tag{1-5-6}$$

로 나타내면 슬릿 S_2를 통과해 P에 도달한 빛은

$$\psi_2(x, t) = A\cos\left(\frac{2\pi}{\lambda}(x + \Delta) - wt\right) \tag{1-5-7}$$

가 된다. 점 P에서 이 두 빛이 합쳐지므로 합쳐진 빛의 파동함수는

$$\psi = \psi_1 + \psi_2$$

이다. 즉,

$$\psi(x, t) = A\cos\left(\frac{2\pi}{\lambda}x - wt\right) + A\cos\left(\frac{2\pi}{\lambda}(x + \Delta) - wt\right) \tag{1-5-8}$$

이다. 이 식이 보강 간섭이 되려면

$$A\cos\left(\frac{2\pi}{\lambda}x - wt\right) = A\cos\left(\frac{2\pi}{\lambda}(x + \Delta) - wt\right)$$

이므로

$$\frac{2\pi}{\lambda}\Delta = 2\pi m \quad (m\text{은 정수}) \tag{1-5-9}$$

이어야 한다. 식 (1-5-8)이 상쇄 간섭이 되려면

$$A\cos\left(\frac{2\pi}{\lambda}x - wt\right) = -A\cos\left(\frac{2\pi}{\lambda}(x + \Delta) - wt\right)$$

이므로

$$\frac{2\pi}{\lambda}\Delta = \pi(2m + 1) \quad (m\text{은 정수}) \tag{1-5-10}$$

이어야 한다. 즉, 밝은 부분(보강 간섭)과 어두운 부분(상쇄 간섭)은 다음 식으로 결정된다.

$$\frac{dy}{l} = \begin{cases} \frac{\lambda}{2} \cdot 2m & \text{(밝다)} \\ \frac{\lambda}{2}(2m+1) & \text{(어둡다)} \end{cases} \tag{1-5-11}$$
(m은 정수)

밝은 무늬가 생기는 위치를

$$y_m \quad (m = \cdots, -4, -3, -2, -1, 0, 1, 2, 3, 4, \cdots)$$

이라고 하면 다음 그림과 같다.

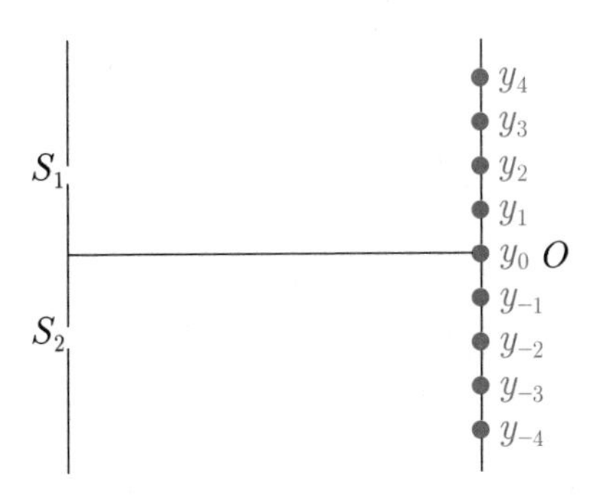

식 (1-5-11)로부터

$$y_m = \frac{\lambda l}{2d} \cdot 2m \quad (m = \cdots, -4, -3, -2, -1, 0, 1, 2, 3, 4, \cdots) \tag{1-5-12}$$

이다. 그러므로 밝은 무늬와 밝은 무늬 사이의 간격(Δy)은

$$\Delta y = y_m - y_{m-1}$$

$$= \frac{\lambda l}{2d}(2m) - \frac{\lambda l}{2d}(2m-2)$$

$$= \frac{\lambda l}{d} = (\text{일정}) \qquad (1-5-13)$$

이 되어 밝은 무늬의 위치는 등차수열을 이룬다.

물리군 영의 이중 슬릿 실험을 빛의 입자설로도 설명할 수 있나요?

정교수 그건 불가능해. 그래서 영의 실험이 나온 후 빛의 파동설이 승리하게 되었지.

전자기파의 발견 _ 무선 통신의 시작

정교수 빛이 전자기파인 것을 알아낸 사람은 영국의 물리학자 맥스웰이야. 그럼 자네 혹시 주파수[8]의 단위는 뭔지 알고 있나?

물리군 헤르츠예요. Hz라고 쓰고요.

정교수 전자기파의 존재를 처음으로 확인한 사람이 바로 헤르츠일세. 그를 기념하기 위해 그의 이름을 주파수 단위로 택한 거지.

8) 독자들은 주파수라는 말에 익숙할 테지만 물리학자들은 주파수보다 진동수라는 용어를 더 좋아한다.

헤르츠(Heinrich Rudolf Hertz, 1857~1894)

헤르츠는 1857년 독일 함부르크의 부유하고 교양 있는 한자동맹[9] 가문에서 태어났다. 그는 어릴 때부터 과학과 공학에 관심이 많았다. 드레스덴, 뮌헨, 베를린에서 공부한 그는 키르히호프와 헬름홀츠에게 물리를 배워 1880년에 베를린 대학교에서 박사 학위를 취득했다. 그 후 3년 동안 헬름홀츠 밑에서 박사 후 연구를 위해 조교로 일했다. 1883년 헤르츠는 킬 대학교에서 이론 물리학 강사직을 맡았고, 1885년에 카를스루에 대학의 정교수가 되었다.

1889년부터는 본 대학의 물리학 교수 및 물리학 연구소 소장으로 재직했다. 1892년 그는 심각한 편두통을 앓은 후 감염 진단을 받고 치료를 위해 수술을 받았다. 편두통 유발 원인을 제거하는 수술 중 합병증으로 37세의 나이에 사망했다.

---

9) 중세 후기에 북해와 발트해 연안의 도시들이 상업상 목적으로 결성한 도시 동맹을 말한다. 한자란 원래 상인 조합을 뜻하였다. 뤼베크, 쾰른, 함부르크 등의 도시가 중심이 되었다.

물리군　헤르츠는 어떻게 전자기파의 존재를 증명했나요?

정교수　그는 1887년 다음과 같은 장치를 고안했어.

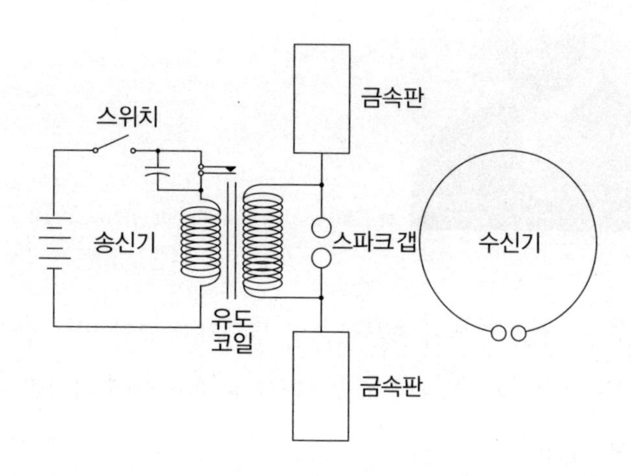

위 그림에서 구리로 만든 수신기는 실험 장치로부터 수 미터 떨어져 있었다. 헤르츠가 스위치를 연결하자 왼쪽 회로의 두 코일 사이에서 전자기 유도 현상이 일어나면서 전자기파가 발생했다. 물론 이 전자기파는 눈에 보이지 않는 파동이었다. 그러자 놀랍게도 수 미터 떨어진 구리 선 수신기의 틈새에서 스파크가 일어났다.

순식간에 벌어진 일이었다. 헤르츠는 왼쪽 장치에서 발생한 전자기파가 수 미터 이동하여 구리 선 수신기에서 스파크를 일으킨 것으로 생각했다. 즉, 이것은 맥스웰의 이론으로만 존재한 전자기파를 실제로 보여준 실험이었다.

한편 1895년 마르코니는 발진기와 안테나를 이용해 무선 통신 장

무선 전신을 보내는 마르코니(Guglielmo Marconi, 1874~1937, 1909년 노벨 물리학상 수상)

치를 완성했고, 이듬해에 약 3km 거리의 무선 통신에 성공했다. 연이어 실험에서 긍정적인 결과를 얻은 그는 1897년에 세계 최초의 무선 전신 회사를 설립하고, 1899년에는 도버 해협을 건너는 무선 통신에 성공했다.

그 후 마르코니는 태평양을 횡단하는 무선 통신에 도전했다. 그는 1901년 8월 영국 남단 폴두에 높이 45m의 기둥을 2개 세운 안테나를 완성했다. 그해 11월에는 캐나다로 건너가 4.5km의 안테나를 연으로 150m 높이까지 매달아 올린 수신 장치를 만들었다. 그리고 12월 12일 영국에서 발신한 전파를 2900km 떨어진 캐나다에서 수신하는 데 성공했다. 이때 통신에 사용된 것은 오직 'S'라는 한 글자였다.

마르코니는 1902년 12월 캐나다, 1903년 1월 미국에 각각 무선 통신국을 설립해 영국과 교신하기 시작했다. 그는 '무선의 아버지'로 불리며 1909년에 노벨 물리학상을 받았다.

물리군 헤르츠는 너무 일찍 죽어서 노벨상을 받지 못했군요.

정교수 내 생각도 그래. 맥스웰이 70세 넘게 살았다면, 그리고 헤르츠가 7년만 더 생존했어도 둘은 전자기파 연구로 노벨 물리학상을 받지 않았을까? 하지만 죽은 사람에게는 노벨상이 수여되지 않으니까 두 사람의 이름은 수상자 목록에 없지.

물리군 안타깝네요.

두 번째 만남

•

물질의 이중성

드브로이, 물질의 이중성을 주장하다 _ 파동과 입자의 성질을 모두!

정교수 이제 물질의 이중성을 주장한 프랑스 귀족 드브로이의 이야기를 해 보겠네.

드브로이는 수 세기 동안 프랑스에서 중요한 군사 및 정치 직책을 맡은 유명한 귀족 브로이 가문 출신으로 노르망디 지방의 디에프에서 태어났다. 그는 책을 많이 읽었는데 역사, 특히 정치에 관한 내용을 좋아했다. 인문학에 흥미가 있었던 그는 소르본 대학교에서 중세사와 법학을 공부해 1910년 학위를 받았다. 그 후 수학과 물리학에 관심을 돌려 물리학으로도 학위를 취득했다.

1914년 제1차 세계대전이 발발하자 드브로이는 군에 복무하며 무선 통신 개발을 했다. 그는 무선 송신기가 있는 에펠탑에서 일했다.

드브로이(Louis Victor de Broglie, 1892~1987, 1929년 노벨 물리학상 수상)

전쟁이 끝난 후에는 본격적으로 이론 물리학에 심취했다. 그는 아인슈타인의 특수상대성이론과 플랑크의 양자론 논문을 열심히 읽었다.

한편 1800년대 말까지 사람들은 빛이 파동이라는 데 아무런 의심이 없었다. 맥스웰의 전자기파 이론과 헤르츠의 전자기파 확인으로 빛은 전자기파인 파동임이 입증되었기 때문이다.

그러다 1900년대로 들어와 파동으로 설명할 수 없는 빛의 성질들이 속속 나타났다. 그 시작은 막스 플랑크의 양자에 대한 발견부터였다.

1900년 독일의 플랑크는 흑체 복사 실험을 연구하던 중 빛이 기묘한 성질의 입자로 이루어진 것을 발견했다. 그는 이 입자를 양자라고 불렀다. 그리고 진동수 ν인 빛이 가질 수 있는 최소의 에너지는 $h\nu$라는 사실을 알아냈다. 여기서 h는 플랑크 상수로

$$h = 6.6 \times 10^{-34} (\mathrm{J \cdot sec})$$

이다. 그러므로 진동수 ν인 빛이 가질 수 있는 에너지는

$$h\nu,\ 2h\nu,\ 3h\nu,\ 4h\nu,\ \cdots$$

가 된다. 이렇게 양자는 에너지가 불연속적인 기묘한 성질이 있다. 빛을 이루는 양자를 광자(photon)라고 부른다.

양자의 실체는 아인슈타인의 광전효과와 콤프턴의 실험으로 밝혀졌고, 이러한 현상은 빛의 파동설로는 도저히 설명할 수 없었다.

물리군 빛의 파동설과 입자설이 다시 대립하기 시작한 건가요?

정교수 맞아. 전에는 간섭이나 회절이 빛의 입자설로 설명되지 않아서 입자설이 패배했어. 하지만 광전효과나 콤프턴 산란은 빛의 파동설로 해석할 수 없어 이번에는 파동설이 지고 말았지.

물리군 그렇다면 빛은 파동이에요, 입자예요?

정교수 파동과 입자의 성질이 모두 있다고 해야겠지.

물리군 모든 물질이 파동과 입자의 성질을 둘 다 갖고 있나요?

정교수 그 문제를 고민한 사람이 바로 드브로이야. 이 내용을 제대로 이해하려면 아인슈타인의 《특수상대성이론》을 읽어 보는 게 도움될 걸세.

드브로이는 콤프턴의 논문에서 광자를 입자로 생각할 때 그 운동량은 파동으로 볼 때의 파장에 반비례한다는 사실에 고무되었다. 그는 보어의 원자모형과 아인슈타인의 특수상대성이론을 공부했다. 이 세 편의 논문을 읽은 드브로이는 놀라운 상상을 하게 된다.

"광자뿐만 아니라 정지질량을 가진 전자도 $p = \frac{h}{\lambda}$[10]를 만족할까? 만일 이것이 사실이라면 우리가 입자(정확히는 양자)로 여기는 전자 역시 파동의 성질이 있다."

–드브로이

10) p는 운동량, λ는 파장, h는 플랑크 상수이다.

드브로이는 이 상상을 바로 실행에 옮겼다. 그는 질량을 가진 전자도 파동의 성질을 지닌다고 생각했다. 즉, 전자를 파동의 특성인 진동수 또는 파장으로 묘사할 수 있을 것으로 보았다.

그는 정지해 있는 전자도 그에 대응하는 파동의 특징인 진동수 ν_0으로 기술된다고 여겼다. 따라서 전자의 플랑크 에너지는 $h\nu_0$이다. 드브로이는 전자의 플랑크 에너지와 상대성이론에 등장하는 전자의 상대론적 에너지가 같아야 한다고 생각했다. 식으로 표현하면

(전자의 플랑크 에너지) = (정지해 있는 전자의 상대론적 에너지)

또는

$$h\nu_0 = m_0c^2 \quad (2\text{-}1\text{-}1)$$

이다. 여기서 c는 광속이다.

또한 드브로이는 속도 v로 움직이는 정지질량이 m_0인 전자에 대해 다음과 같이 생각했다.

"전자는 아인슈타인의 상대론적 에너지를 갖는다. 동시에 플랑크 양자론에 따른 진동수 ν에 의해 특징지어진다."

–드브로이

이것을 식으로 나타내면

(전자의 플랑크 에너지) = (속도 v로 움직이는 전자의 상대론적 에너지)

또는

$$h\nu = \frac{m_0}{\sqrt{1-\beta^2}}c^2 \qquad (2\text{–}1\text{–}2)$$

이고, 여기서

$$\beta = \frac{v}{c}$$

이다.

물리군 ν와 ν_0은 어떤 관계가 있죠?

정교수 식 (2–1–1)과 (2–1–2)로부터

$$\nu = \frac{\nu_0}{\sqrt{1-\beta^2}} \qquad (2\text{–}1\text{–}3)$$

이 돼.

드브로이는 전자가 입자와 파동의 성질을 동시에 가지므로 전자를 파동으로 묘사했다. 그는 정지해 있는 전자에 대응하는 파동을 다음과 같은 파동함수로 나타냈다.

$$\psi(t_0) = A\cos(w_0 t_0) \qquad (2\text{–}1\text{–}4)$$

특수상대성이론을 적용하기 위해 식 (2-1-4)는 정지한 관찰자가 본 전자인 파동이라고 하자. 정지한 관찰자의 시간 좌표를 t_0, 정지한 관찰자가 측정한 위치 좌표를 x_0으로 놓자. 이때

$$w_0 = 2\pi\nu_0 \tag{2-1-5}$$

이다.

물리군 움직이는 전자에 대응하는 파동은 어떻게 나타내나요?

정교수 여기서 드브로이는 아주 멋진 생각을 했어. 자세히 살펴볼까?

정지한 관찰자가 소나무를 보면 정지해 있는 걸로 보인다. 하지만 차를 타고 등속도로 달리면서 보면 소나무가 움직이는 것처럼 여겨진다. 이때 움직이는 관찰자가 측정하는 소나무의 속력은 달리는 차의 속력과 같다. 이것은 뉴턴 역학에서 갈릴레이의 상대성원리이다.

드브로이는 전자에 대해 아인슈타인의 특수상대성원리를 생각했다. 정지해 있는 전자를 정지한 관찰자가 자신의 좌표인 (x_0, t_0)으로 기술하면 정지해 있는 것으로 관측된다. 하지만 등속도 v로 움직이는 관찰자에게는 속도 $-v$로 움직이는 전자가 관측된다. 아인슈타인의 특수상대성이론에 따라 정지한 관찰자와 움직이는 관찰자의 시간은 다르게 흐른다. 움직이는 관찰자의 위치 좌표를 x, 시간 좌표를 t라고 하면 로런츠 변환에 의해

$$x = \gamma(x_0 - vt_0) \tag{2-1-6}$$

$$t = \gamma\left(t_0 - \frac{v}{c^2}x_0\right) \tag{2-1-7}$$

이 된다. 이때

$$\gamma = \frac{1}{\sqrt{1-\beta^2}}$$

이다. 식 (2-1-7)로부터

$$t_0 = \gamma\left(t + \frac{v}{c^2}x\right) \tag{2-1-8}$$

가 된다. 따라서 움직이는 관찰자가 측정한 전자의 파동함수는

$$\psi(x, t) = A\cos\left[w_0\gamma\left(t + \frac{v}{c^2}x\right)\right] \tag{2-1-9}$$

이다. 이제 움직이는 관찰자를 주인공으로 삼으면 식 (2-1-9)는 속도 v로 움직이는 전자를 묘사하는 파동함수가 된다.

드브로이는 속도 v로 움직이는 전자의 주기를 T라 하고 이것을 주기성 조건

$$\psi(x, t+T) = \psi(x, t)$$

에 의해 결정했다. 이는

$$w_0\gamma T = 2\pi \tag{2-1-10}$$

를 의미한다. 마찬가지로 속도 v로 움직이는 전자의 파장을 λ라 하고 이것을

$$\psi(x+\lambda, t) = \psi(x, t)$$

에 의해 결정했다. 이는

$$w_0\gamma \frac{v}{c^2}\lambda = 2\pi \tag{2-1-11}$$

를 뜻한다. 한편 파동의 전파속도를 V라고 하면

$$\lambda = VT = \frac{V}{\nu} \tag{2-1-12}$$

이다. 식 (2-1-10), (2-1-11), (2-1-12)로부터

$$V = \frac{c^2}{v} = \frac{c}{\beta} \tag{2-1-13}$$

가 된다. 식 (2-1-12)와 (2-1-13)으로부터

$$v = \frac{c^2}{\lambda\nu} \tag{2-1-14}$$

이다. 여기서 v는 전자를 입자로 해석할 때의 속도이고, V는 전자를 파동으로 해석할 때의 속도를 나타낸다.

드브로이는 콤프턴의 논문에서 알아낸 특수상대성이론의 에너지-운동량 관계식을 떠올렸다.

$$E^2 - p^2c^2 = m_0^2c^4 \tag{2-1-15}$$

그리고 이 식을

$$p^2c^2 = E^2 - m_0^2c^4 \tag{2-1-16}$$

으로 고쳐 썼다. 아인슈타인의 특수상대성이론 논문에서

$$E = \frac{m_0}{\sqrt{1-\beta^2}}c^2 \tag{2-1-17}$$

이므로

$$E^2 - m_0^2c^4 = \frac{m_0^2c^4}{1-\beta^2} - m_0^2c^4 = \left(\frac{\beta^2}{1-\beta^2}\right)m_0^2c^4 = \beta^2E^2 \tag{2-1-18}$$

이 된다. 이것을 식 (2-1-16)에 넣으면

$$p^2c^2 = E^2\frac{v^2}{c^2} \tag{2-1-19}$$

이다. 상대론적 에너지가 진동수 ν인 파동의 플랑크 에너지와 같으므로 이 식에 $E = h\nu$를 대입하면

$$p = \frac{h\nu v}{c^2} \tag{2-1-20}$$

를 얻는다. 식 (2-1-14)를 이용하면

$$p = \frac{h}{\lambda} \tag{2-1-21}$$

가 된다. 이 식을 다시 쓰면 운동량이 p인 전자에 대응하는 파동의 파장은

$$\lambda = \frac{h}{p} \tag{2-1-22}$$

이다. 속도 v로 움직이는 입자의 운동량의 식으로부터

$$\lambda = \frac{h}{\frac{m_0 v}{\sqrt{1-\beta^2}}} \tag{2-1-23}$$

가 된다. 만일 전자의 속도 v가 빛의 속력 c에 비해 너무 작으면 β는 0에 가까워지므로

$$\lambda = \frac{h}{m_0 v} \tag{2-1-24}$$

가 된다. 이 사실에서 전자 또한 입자뿐 아니라 파동의 성질도 갖는다는 것을 알아냈다. 드브로이는 전자의 이러한 특성으로부터 모든 물질은 파동과 입자 두 가지 성질을 가진다는 가설을 세웠다. 이렇게 입

자로 간주해 온 물질이 파동의 성질을 띨 때 그 파동을 물질파라고 부른다. 드브로이는 이 내용을 1924년에 논문으로 발표했고, 같은 주제로 박사 논문을 만들어 학위를 받았다. 그리고 이 업적으로 1929년 노벨 물리학상을 수상했다.

물리군 이제 어떤 물질이 입자 혹은 파동인지 구별할 필요가 없어졌네요.

정교수 그렇지.

물질파와 보어의 원자모형 _ 파동이 소멸하지 않는 조건

물리군 드브로이의 물질파와 보어의 원자모형은 어떤 관계가 있나요?

정교수 그게 바로 드브로이의 다음 작업이었네. 그는 전자를 파동(물질파)으로 묘사했어. 그러므로 자신의 이론이 보어의 원자모형과 잘 어울리는 것을 증명해야 했지.

물리군 어떻게 증명했지요?

정교수 음악을 사랑했던 드브로이는 현악기의 원리를 떠올렸다네.

현악기는 줄을 튕겨서 소리를 낸다. 줄을 튕겨 생겨난, 파장이 λ인 파동과 반사된 파동이 합쳐져 정상파를 만든다. 다음 그림을 보자.

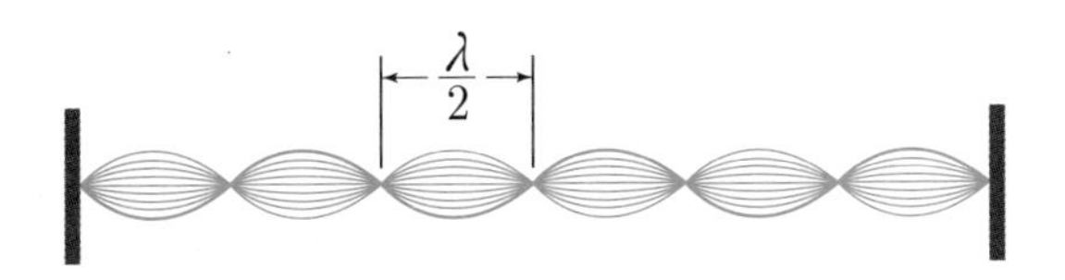

두 개의 벽 사이에 6개의 정상파가 나타났다. 정상파는 다음 그림과 같은 모양이 반복되어 만들어진다.

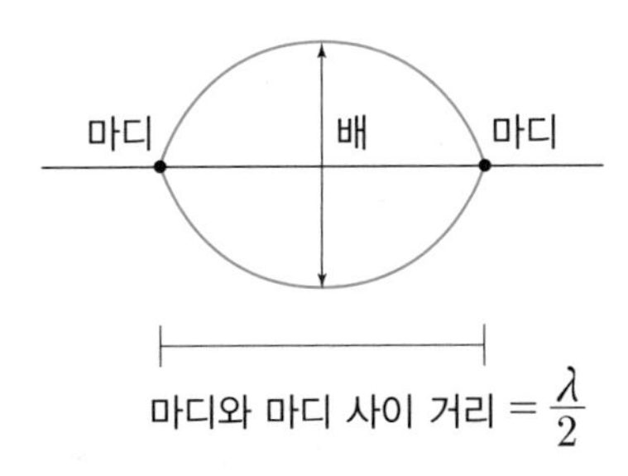

그림에서 항상 진동하지 않는 점을 마디, 진폭이 가장 큰 곳을 배라고 한다. 이때 마디와 마디 사이의 거리가 파장의 절반이 된다는 것을 알 수 있다. 마디와 마디 사이의 입술 모양을 만들며 오르락내리락하는 파동을 정상파 한 개라고 부른다.

길이가 L인 현에 정상파가 만들어지려면

$$L = n \times \frac{\lambda}{2} \quad (n = 1, 2, 3, \cdots) \tag{2-2-1}$$

가 되어야 한다. 식 (2-2-1)은 정상파가 n개 생긴 것을 의미한다. 파동이 정상파 조건을 만족하면 현에서 안정된 진동을 한다. 그러나 정상파 조건을 만족하지 않으면 벽으로 들어가는 입사파와 벽에서 반사되어 나오는 반사파가 간섭을 일으켜 결국 파동이 소멸한다.

드브로이는 보어의 원자모형처럼 정상파가 원 위에 생기는 경우를 생각했다.

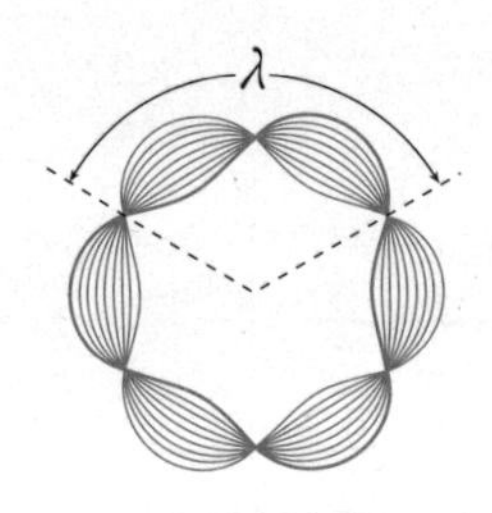

원 위를 도는 전자는 물질의 이중성에 의해 입자 혹은 파동으로 기술할 수 있다. 이 전자를 파동으로 간주할 때 정상파 조건과 비슷한 어떤 조건을 만족하지 않으면 파동이 소멸한다. 이는 전자를 입자로 해석하면 원 궤도에 있던 전자가 사라지는 것을 의미한다. 그러므로 원 궤도 위의 전자를 파동(물질파)으로 기술하면 이 파동은 정상파 조건과 비슷한 어떤 조건을 만족해야 한다.

원에서 움직이는 파동의 경우 처음 위치에서 발생한 파동이 한 바퀴를 돌아온 후 같은 파동으로 시작하면 소멸하지 않는다. 이것은 현악기에서의 정상파 조건과는 조금 다르다.

다음 그림은 처음 위치에서 발생한 파동이 한 바퀴를 돌아온 후 같은 파동으로 시작하지 않는 것을 보여준다. 이 경우 파동은 소멸한다.

그러므로 원 위에서 정상파가 소멸하지 않으려면 다음 그림과 같아야 한다.

드브로이는 원 위에서 파동이 소멸하지 않는 조건은 원둘레 길이가 파장의 정수배인 것을 알아냈다. 즉, 전자를 묘사하는 파동은

$$(\text{원둘레 길이}) = n \times \lambda \quad (n = 1, 2, 3, \cdots) \qquad (2\text{-}2\text{-}2)$$

이면 소멸하지 않는다. 다음 그림은 $n = 3, 4, 5, 6$일 때의 전자를 묘사하는 파동이다.

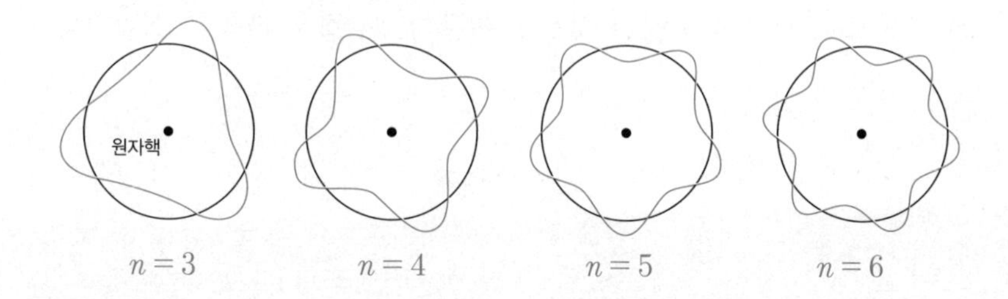

드브로이는 보어의 양자 조건을 떠올렸다. 전자가 핵으로부터 n번째 궤도에 있을 때 전자의 운동량을 p라고 하면 보어의 양자화 조건은

$$p \times (\text{원둘레 길이}) = nh \quad (n = 1, 2, 3, \cdots) \tag{2-2-3}$$

이다. 드브로이는 식 (2-2-2)와 (2-2-3)을 연립해

$$pn\lambda = nh \tag{2-2-4}$$

또는

$$\lambda = \frac{h}{p} \tag{2-2-5}$$

가 됨을 알아냈다. 이것은 앞 절에서 유도한 방법과 같은 결과이다.

물질파의 발견 _ 실수가 만들어 낸 위대한 결과

물리군　투수가 던진 야구공도 물질파라는 파동으로 설명할 수 있나요? 파동이라는 것을 조금도 느낄 수 없는데요.

정교수　그건 야구공의 질량이 매우 커서 그에 대한 물질파의 파장이 너무 작아지기 때문이야. 예를 들어 설명해 볼게.

야구공의 물질파 파장을 구해 보자. 질량이 0.2kg이고 속도가 시속 160km(초속 44m)인 야구공의 물질파 파장은

$$(\text{파장}) = \frac{6.6 \times 10^{-34}}{0.2 \times 44} = 7.5 \times 10^{-35}\,(\text{m})$$

로 어떠한 장치를 이용한다고 해도 이렇게 작은 파장의 관측은 불가능하다.

또 다른 예로 지구가 움직일 때 생기는 물질파의 파장을 구해 보기로 하자. 지구의 질량은 6×10^{27}g이고 지구가 태양 주위를 도는 속도는 3×10^{6}cm/s이다. 따라서 지구라는 물질파의 파장은 드브로이의 공식에 따라 다음과 같다.

$$(\text{파장}) = \frac{6.6 \times 10^{-27}}{(6 \times 10^{27})(3 \times 10^{6})} = 3.6 \times 10^{-61}\,(\text{cm})$$

이렇게 작은 파장을 갖는 파동은 현재의 어떤 장치로도 확인이 불

가능하다. 따라서 우리는 지구가 물질파인 파동이라고 느낄 수 없는 것이다.

물리군 물질파는 관측할 수 없는 파동인가요?

정교수 그렇지는 않아.

다시 한번 드브로이의 공식을 들여다보자. 이 공식은 물질파의 파장이 플랑크 상수를 질량과 속도의 곱으로 나눈 값인 것을 뜻한다. 플랑크 상수는 너무 작아서 대부분의 입자는 파장이 관측 불가능할 정도로 작은 값이 된다. 그런데 만일 어떤 입자의 질량이 아주 작다면 어떨까?

질량이 작은 입자로 어떤 것이 있는가를 생각해 보자. 우리는 앞의 내용으로부터 전자의 질량이 약 10^{-27}g임을 알고 있다. 그러면 전자의 속도를 알아야 한다. 전자와 같이 전기를 띤 물체는 전압을 걸어주면 어떤 속도로 운동을 한다. 예를 들어 1볼트의 전압을 걸었을 때 전자는 초속 6×10^7cm의 속도로 움직인다. 이 값을 드브로이의 공식에 대입하면 전자의 물질파 파장은

$$(\text{파장}) = \frac{6.6 \times 10^{-27}}{10^{-27} \times (6 \times 10^7)} \fallingdotseq 10^{-7}(\text{cm})$$

이다. 이 파장은 대략 X선 정도에 해당한다. 이 정도의 파장을 갖는 X선은 이미 발견되었다. 그렇다면 전자의 물질파 파장도 관측이 가

능해 보인다.

물리군 전자의 물질파 파장이 관측되었나요?

정교수 응. 물리학자 데이비슨과 거머가 이 관측에 성공했어.

데이비슨(Clinton Joseph Davisson, 1881~1958, 1937년 노벨 물리학상 수상)

데이비슨은 미국 일리노이주 블루밍턴에서 태어났다. 1902년 그는 블루밍턴 고등학교를 졸업하고 시카고 대학교에 장학생으로 입학했다. 1905년에는 밀리컨 교수의 추천으로 프린스턴 대학교 물리학과의 강사 생활을 시작하면서 박사 과정을 수행해 1911년 박사 학위를 받았다. 그 후 데이비슨은 카네기 공과대학(현 카네기 멜론 대학)의 조교수로 임명되었다. 1917년에 그는 카네기 연구소를 떠나 웨스턴 일렉트릭 컴퍼니[11]의 엔지니어링 부서에서 전쟁 관련 연구를 수행했다. 종전 후에는 웨스턴 일렉트릭에서 기초 연구를 할 수 있는 자유를 보장받았다.

데이비슨과 거머(Lester Halbert Germer, 1896~1971)

거머는 미국 시카고에서 태어나 코넬 대학교 물리학과를 졸업했다. 그는 제1차 세계대전 당시 전투기 조종사로 활동한 후 뉴저지의 벨 연구소에서 근무했다. 1945년에는 암벽 등반가로서 새로운 삶을 시작했다. 그는 미국 북동부, 특히 뉴욕의 샤완경크 능선을 두루 다녔다. 1971년, 75세 생일을 일주일 앞두고 거머는 샤완경크 능선에서 암벽 등반을 하다가 심장 마비로 사망했다.

물리군　두 사람은 어떻게 전자의 물질파를 발견한 거죠?

11) 나중에 벨 연구소로 이름이 바뀌었다.

정교수 원래 실험 목적은 전자의 물질파 발견이 아니었다네.

물리군 그럼 뭐였어요?

정교수 금속 니켈의 표면을 연구하는 것이었지.

1921년에 데이비슨은 전자를 금속 표면에 충돌시켜 튀어나오는 것을 조사하기 시작했다. 그는 쿤스먼(Charles H. Kunsman)과 함께 텅스텐 표면에 전자를 충돌시키는 실험을 했다. 그들은 충돌한 전자의 1%가 금속 표면에서 반사되는 것을 발견했다. 그리고 러더퍼드가 알파 입자 충돌로 원자핵을 연구한 방법과 유사하게 원자의 전자 구성을 조사할 수 있을 것으로 생각했다.

그들은 이 실험을 높은 진공 속에서 수행했고, 텅스텐 대신 여러 다른 금속으로 시도하다가 결국 니켈을 사용했다. 실험은 1924년까지 지속되었지만 만족할 만한 성과는 거두지 못했다.

1924년 10월 데이비슨은 거머를 실험에 끌어들였다. 이제 데이비슨은 전자를 니켈 판 표면에 충돌시키고 각도에 따라 얼마나 많은 전자가 튀어나오는지 확인해서 니켈 표면을 조사하고자 했다. 전자의 크기가 작기 때문에 가장 매끄러운 니켈 표면도 전자 입장에서는 거칠게 여겨져 난반사할 것으로 예상했다.

데이비슨은 니켈 결정 표변에 전자총을 이용해 수직으로 전자빔을 발사하고, 검출기와 니켈 사이의 각도에 따라 반사된 전자의 수가 어떻게 변하는지 측정하기로 했다.

전자총에서 나온 전자는 일정한 운동에너지를 가지고 있다. 전자

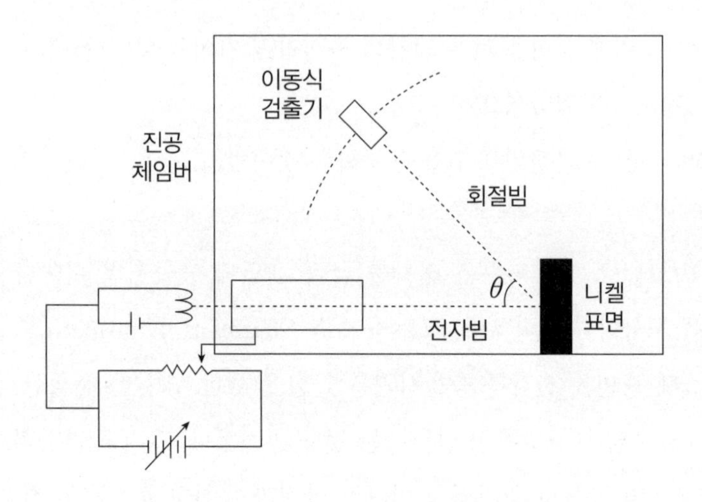

가 니켈 표면으로 가는 동안 다른 원자와의 충돌을 피하기 위해 실험은 진공 체임버에서 수행되었다. 그런데 실험 중 실수로 체임버에 공기가 들어가 니켈 표면에 산화막이 생성되었다.

산화물을 제거하기 위해 두 사람은 오븐으로 니켈 표면을 높은 온도에서 가열했다. 실험을 다시 시작하고 전자가 니켈 표면에 닿았을 때, 전자는 결정면에서 니켈 원자에 의해 산란되어 회절 무늬를 만들어 냈다.

하지만 데이비슨은 회절 무늬가 생기는 이유를 알지 못했다. 그러던 중 신혼여행에서 돌아온 그는 1926년 여름, 영국 과학 진흥협회에서 주관한 옥스퍼드 회의에 참석해 드브로이의 물질파 가설에 대한 내용을 알게 되었다.

미국으로 돌아온 데이비슨은 거머와 함께 발견한 회절 무늬가 전

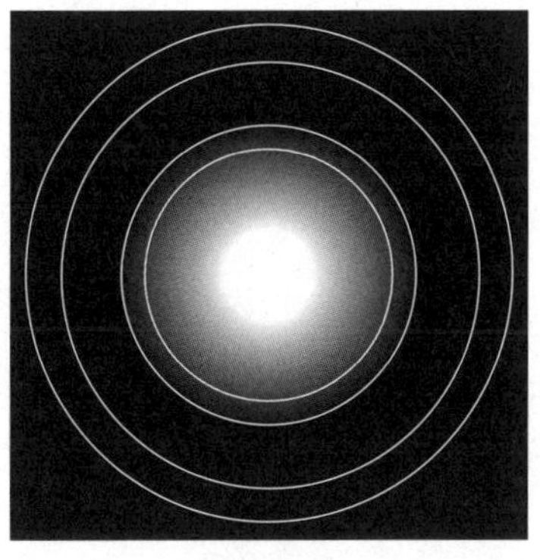

회절 무늬

자의 물질파가 만드는 것임을 확인했다. 그들은 이 내용을 〈니켈 단결정에 의한 전자의 산란〉이라는 제목으로 《네이처(Nature)》에 게재했다. 이 논문에는 드브로이가 이론으로 예측한, 전자를 파동으로 생각했을 때 전자가 만드는 회절 무늬에 관한 내용이 실려 있다. 데이비슨은 이 업적으로 1937년 노벨 물리학상을 수상했다.

세 번째 만남

●

푸리에 급수와 푸리에 변환

오일러 공식_삼각함수와 지수함수의 관계

정교수 하이젠베르크의 논문을 이해하려면 먼저 푸리에 급수에 대해 알 필요가 있어. 그 전에 우선 오일러 공식을 소개하려고 해.

$\sin x$와 $\cos x$를 무한급수로 나타내는 방법을 알아보자. 예를 들어 다음 함수를 보자.

$$f(x) = x^3 + x$$

이 함수에 x 대신 $-x$를 넣으면

$$f(-x) = -x^3 - x = -f(x)$$

이므로 기함수이다. 이번에는 다음 함수를 보자.

$$g(x) = 1 + x^2 + x^4$$

이 함수에 x 대신 $-x$를 넣으면

$$g(-x) = g(x)$$

이므로 우함수이다. 즉, 기함수는 x의 홀수 차수의 항들로만 이루어진 식이고, 우함수는 x의 짝수 차수의 항들로만 이루어진 식이다. $\cos x$는 우함수이므로 다음과 같이 놓을 수 있다.

$$\cos x = a_0 + a_2x^2 + a_4x^4 + a_6x^6 + \cdots \qquad (3\text{-}1\text{-}1)$$

물리군 무수히 많은 계수들은 어떻게 구하죠?

정교수 하나씩 구하면 돼. 먼저 식 (3-1-1)의 양변에 0을 넣어 볼까?

수학양 그건 간단해요.

$$1 = a_0$$

정교수 그렇다면 식 (3-1-1)은 다음과 같이 쓸 수 있어.

$$\cos x - 1 = a_2x^2 + a_4x^4 + a_6x^6 + \cdots \qquad (3\text{-}1\text{-}2)$$

이 식을 x^2으로 나누면

$$\frac{\cos x - 1}{x^2} = a_2 + a_4x^2 + a_6x^4 + \cdots \qquad (3\text{-}1\text{-}3)$$

이 된다. 따라서

$$a_2 = \lim_{x \to 0} \frac{\cos x - 1}{x^2}$$

이다. 이 극한은 $\frac{0}{0}$ 꼴의 부정형이므로 로피탈 정리를 쓸 수 있다. 즉, 극한값이 결정될 때까지 분자와 분모를 같은 횟수만큼 미분하면 된다.

$$a_2 = \lim_{x \to 0} \frac{\cos x - 1}{x^2} = \lim_{x \to 0} \frac{-\sin x}{2x} = -\frac{1}{2}$$

여기서 우리는

$$\lim_{x \to 0} \frac{\sin x}{x} = 1$$

을 이용했다. 그러므로 식 (3-1-3)은

$$\frac{\cos x - 1}{x^2} + \frac{1}{2} = a_4 x^2 + a_6 x^4 + \cdots \tag{3-1-4}$$

이 된다. 이 식을 x^2으로 나누면

$$\frac{\cos x - 1 + \frac{x^2}{2}}{x^4} = a_4 + a_6 x^2 + \cdots$$

이다. 이제 같은 방법으로 a_4의 값을 구하자.

$$a_4 = \lim_{x \to 0} \frac{\cos x - 1 + \frac{x^2}{2}}{x^4}$$

$$= \lim_{x \to 0} \frac{-\sin x + x}{4x^3}$$

$$= \lim_{x \to 0} \frac{-\cos x + 1}{4 \cdot 3x^2}$$

$$= \lim_{x \to 0} \frac{\sin x}{4 \cdot 3 \cdot 2x}$$

$$= \frac{1}{4!}$$

이런 식으로 계속 계수를 구하면

$$\cos x = 1 - \frac{1}{2!}x^2 + \frac{1}{4!}x^4 - \frac{1}{6!}x^6 + \cdots \qquad (3\text{–}1\text{–}5)$$

이 된다.

물리군　$\sin x$도 같은 방법으로 구하면 되나요?

정교수　그럴 필요는 없네. 식 (3–1–5)를 미분하면 되거든. 즉,

$$-\sin x = -x + \frac{1}{3!}x^3 - \frac{1}{5!}x^5 + \cdots$$

이니까

$$\sin x = x - \frac{1}{3!}x^3 + \frac{1}{5!}x^5 - \cdots \qquad (3\text{–}1\text{–}6)$$

이지.

수학양　미분만 알면 $\sin x$와 $\cos x$를 무한급수로 나타낼 수 있군요.

정교수　물론이야. 이번에는 지수함수 e^x을 무한급수로 표현하는 방법을 알려주도록 하지. 오일러 수 e는 다음과 같이 정의할 수 있어.

$$e = \lim_{n \to \infty}\left(1 + \frac{1}{n}\right)^n \qquad (3\text{–}1\text{–}7)$$

따라서

$$e^x = \lim_{n \to \infty}\left(1 + \frac{1}{n}\right)^{nx} \tag{3-1-8}$$

이다. 여기서

$$\left(1 + \frac{1}{n}\right)^{nx} \tag{3-1-9}$$

을 살펴보자. 이항정리 공식[12]

$$(1+a)^N = 1 + Na + \frac{N(N-1)}{2!}a^2 + \frac{N(N-1)(N-2)}{3!}a^3 + \cdots \tag{3-1-10}$$

을 이용하겠다. 식 (3-1-10)에서 $a = \frac{1}{n}$, $N = nx$로 놓으면

$$\left(1 + \frac{1}{n}\right)^{nx}$$

$$= 1 + nx\left(\frac{1}{n}\right) + \frac{nx(nx-1)}{2!}\left(\frac{1}{n}\right)^2 + \frac{nx(nx-1)(nx-2)}{3!}\left(\frac{1}{n}\right)^3 + \cdots$$

$$= 1 + x + \frac{1}{2!}x\left(x - \frac{1}{n}\right) + \frac{1}{3!}x\left(x - \frac{1}{n}\right)\left(x - \frac{2}{n}\right) + \cdots$$

이다. $n \to \infty$이면 $\frac{1}{n} \to 0$이므로

12) 고등학교에서 이 공식은 N이 자연수인 경우에만 적용하나 일반적으로 N이 자연수가 아니어도 성립한다. 자연수가 아닐 때는 테일러 전개를 이용해 증명할 수 있다.

$$e^x = \lim_{n \to \infty}\left(1+\frac{1}{n}\right)^{nx} = 1 + x + \frac{1}{2!}x^2 + \frac{1}{3!}x^3 + \frac{1}{4!}x^4 + \cdots \qquad (3\text{–}1\text{–}11)$$

이 된다. 이제 식 (3–1–11)에 x 대신 ix를 넣어 보자.

$$e^{ix} = 1 + ix + \frac{1}{2!}(ix)^2 + \frac{1}{3!}(ix)^3 + \frac{1}{4!}(ix)^4 + \cdots$$

$$= 1 + ix - \frac{1}{2!}x^2 - \frac{i}{3!}x^3 + \frac{1}{4!}x^4 + \cdots$$

이 식을 실수부와 허수부로 분리하면

$$e^{ix} = \left(1 - \frac{x^2}{2!} + \frac{x^4}{4!} - \cdots\right) + i\left(x - \frac{x^3}{3!} + \cdots\right)$$

이다. 그러므로 오일러 공식

$$e^{ix} = \cos x + i \sin x \qquad (3\text{–}1\text{–}12)$$

를 얻는다. 이 식에 x 대신 $-x$를 넣으면

$$e^{-ix} = \cos x - i \sin x \qquad (3\text{–}1\text{–}13)$$

가 된다. 식 (3–1–12)와 (3–1–13)으로부터 다음과 같이 삼각함수를 지수함수로 나타낼 수 있다.

$$\cos x = \frac{1}{2}(e^{ix} + e^{-ix}) \qquad (3\text{–}1\text{–}14)$$

$$\sin x = \frac{1}{2i}(e^{ix} - e^{-ix}) \tag{3-1-15}$$

물리군 처음 보는 식이지만 삼각함수를 지수함수의 합과 차로 나타낼 수 있다는 게 정말 신기하네요.

정교수 더 놀라운 것을 보여 줄까? 식 (3-1-12)에 $x = \pi$를 넣으면

$$e^{i\pi} = \cos\pi + i\sin\pi = -1$$

이고 이항하면

$$e^{i\pi} + 1 = 0$$

이 돼. 이 식에는 아주 중요한 수들이 모두 등장해. 덧셈의 항등원 0, 곱셈의 항등원 1, 최초의 무리수 π, 허수단위 i, 오일러의 수 e가 한꺼번에 나타나지. 그래서 물리학자 파인먼은 이를 두고 세상에서 가장 아름다운 공식이라고 불렀다네.

수학양 수학의 핵심만 모아 놓은 완벽한 식이군요.

푸리에 급수 _ 주기함수를 사인과 코사인으로 나타내기

정교수 이제 푸리에 급수에 대해 알아보겠네. 수학자 푸리에의 삶부터 살펴보세.

푸리에(Jean Baptiste Joseph Fourier, 1768~1830)

푸리에는 프랑스 오세르에서 재단사의 아들로 태어났다. 그는 아홉 살에 고아가 된 후 성 마르코 수녀원의 베네딕트 수도회에서 교육을 받았다. 어려운 환경 속에서도 푸리에는 열심히 노력해서 파리 에콜 노르말에 들어가 수학을 공부했다.

수학과 과학을 사랑했던 나폴레옹은 수학자들과 친하게 지냈는데 푸리에도 그의 총애를 받는 수학자 중 한 명이었다. 푸리에는 1798년 나폴레옹의 이집트 원정에 과학 고문으로 동행했다. 또한 나폴레옹이 카이로에 설립한 이집트 연구소(카이로 연구소)의 서기로 임명되어 수학 연구를 했다. 1801년에 프랑스가 영국에게 패하자 푸리에는 다시 프랑스로 돌아왔다.

푸리에가 주로 연구한 분야는 고체 속에서 열이 어떻게 전도되는가 하는 문제였다. 이것을 열전도 방정식이라고 하며 푸리에가 최초로 이 이론을 발견했다. 그는 이 방정식을 풀기 위해 주기함수를 다양한 진동수를 가진 삼각함수의 합으로 나타내는 방법을 연구했는데, 그것이 바로 푸리에 급수이다.

수학양 어린 나이에 부모를 여의었지만 대단한 수학자가 되었군요.

정교수 그렇네. 푸리에는 주기함수를 사인과 코사인으로 나타내는 방법을 처음으로 찾았어. 그 내용을 자세히 설명해 보겠네.

주기함수 $f(t)$는

$$f(t+T) = f(t) \tag{3-2-1}$$

를 만족한다. 이때 T를 이 함수의 주기라고 부른다.

푸리에는 식 (3-2-1)을 만족하는 함수가 무엇인지 고민했다. 가장 간단한 것으로는 $f(t) = 1$이 있다. 이번에는 다음과 같은 사인함수를 보자.

$$f(t) = \sin\frac{2\pi}{T}t \tag{3-2-2}$$

이때

$$
\begin{aligned}
f(t+T) &= \sin\frac{2\pi}{T}(t+T) \\
&= \sin\left(\frac{2\pi}{T}t + \frac{2\pi}{T}T\right) \\
&= \sin\left(\frac{2\pi}{T}t + 2\pi\right) \\
&= f(t)
\end{aligned}
$$

이므로 식 (3-2-2)는 주기 T인 주기함수이다. 여기서 우리는 사인함수의 성질인

$$\sin(x + 2\pi \times \text{정수}) = \sin x \tag{3-2-3}$$

를 이용했다. 푸리에는 다음과 같은 함수들도 식 (3-2-1)을 만족하는 것을 알아냈다.

$$f(t) = \sin\frac{4\pi}{T}t$$

$$f(t) = \sin\frac{6\pi}{T}t$$

$$f(t) = \sin\frac{8\pi}{T}t$$

$$\vdots$$

이들을 일반적으로 나타내면

$$f(t) = \sin\frac{2\pi n}{T}t \quad (n = 1, 2, 3, \cdots) \tag{3-2-4}$$

이다. 사인함수뿐 아니라 코사인함수도 주기함수이므로 식 (3-2-1)을 만족하는 코사인함수의 모양은 일반적으로

$$f(t) = \cos\frac{2\pi n}{T}t \quad (n = 1, 2, 3, \cdots) \tag{3-2-5}$$

가 된다. 이 사실로부터 푸리에는 이들을 섞어서 주기가 T인 임의의 함수를 만들 수 있다고 생각했다. 즉, 식 (3-2-1)을 만족하는 $f(t)$를 다음과 같이 쓸 수 있다.

$$f(t) = a_0 + \sum_{n=1}^{\infty}\left(a_n\cos\frac{2\pi n}{T}t + b_n\sin\frac{2\pi n}{T}t\right) \tag{3-2-6}$$

이것이 식 (3-2-1)을 만족함은 쉽게 알 수 있다. 이 식을 푸리에 급수라 하고 a_0, a_n, b_n을 푸리에 계수라고 부른다.

물리군 푸리에 계수는 어떻게 결정하나요?

정교수 a_0부터 구하는 방법을 알려주겠네. 먼저 식 (3-2-6)에서 양변을 0부터 T까지 적분하는 것으로 시작해야 해.

$$\int_0^T f(t)\,dt = \int_0^T a_0\,dt + \sum_{n=1}^{\infty}\left(a_n\int_0^T \cos\frac{2\pi n}{T}t\,dt + b_n\int_0^T \sin\frac{2\pi n}{T}t\,dt\right) \tag{3-2-7}$$

여기서

$$\int_0^T \cos\frac{2\pi n}{T}tdt = \left[\frac{T}{2\pi n}\sin\frac{2\pi n}{T}t\right]_0^T$$

$$= \frac{T}{2\pi n}(\sin 2\pi n - \sin 0)$$

$$= 0$$

$$\int_0^T \sin\frac{2\pi n}{T}tdt = \left[-\frac{T}{2\pi n}\cos\frac{2\pi n}{T}t\right]_0^T$$

$$= -\frac{T}{2\pi n}(\cos 2\pi n - \cos 0)$$

$$= 0$$

이 된다. 일반적으로

$$\int_0^T \cos\frac{2\pi \times (0\text{이 아닌 정수})}{T}tdt = 0 \tag{3-2-8}$$

$$\int_0^T \sin\frac{2\pi \times (\text{정수})}{T}tdt = 0 \tag{3-2-9}$$

이다.

수학양 식 (3-2-8)에서는 왜 0이 아닌 정수라고 했죠?

정교수 0인 경우에는 $\cos 0 = 1$이 되어,

$$\int_0^T \cos\frac{2\pi\times(0)}{T}tdt = T \qquad (3\text{-}2\text{-}10)$$

이기 때문이야.

물리군 그렇군요.

정교수 그러므로 식 (3–2–7)에서 앞의 결과들에 따라

$$a_0 = \frac{1}{T}\int_0^T f(t)\,dt \qquad (3\text{-}2\text{-}11)$$

가 되지.

이번에는 a_n을 구해 보자. 식 (3–2–6)은 다음과 같이 쓸 수 있다.

$$f(t) = a_0 + \sum_{m=1}^{\infty}\left(a_m\cos\frac{2\pi m}{T}t + b_m\sin\frac{2\pi m}{T}t\right) \qquad (3\text{-}2\text{-}12)$$

양변에 $\cos\frac{2\pi n}{T}t$ 를 곱해 0부터 T까지 적분하자. 그러면

$$(\text{좌변}) = \int_0^T f(t)\cos\frac{2\pi n}{T}tdt$$

$$(\text{우변}) = a_0\int_0^T \cos\frac{2\pi n}{T}tdt$$

$$+\sum_{m=1}^{\infty}\left(a_m\int_0^T \cos\frac{2\pi m}{T}t\cos\frac{2\pi n}{T}tdt + b_m\int_0^T \sin\frac{2\pi m}{T}t\cos\frac{2\pi n}{T}tdt\right)$$

가 된다. 여기서

$$\int_0^T \cos\frac{2\pi n}{T}tdt = 0$$

이므로

$$(우변) = \sum_{m=1}^{\infty}\left(a_m\int_0^T \cos\frac{2\pi m}{T}t\cos\frac{2\pi n}{T}tdt + b_m\int_0^T \sin\frac{2\pi m}{T}t\cos\frac{2\pi n}{T}tdt\right)$$

이다. 고등학교에서 배운 삼각함수의 덧셈정리

$$\cos(a+b) = \cos a\cos b - \sin a\sin b$$

$$\cos(a-b) = \cos a\cos b + \sin a\sin b$$

를 떠올리자. 이 두 식을 더하면

$$\cos a\cos b = \frac{1}{2}\{\cos(a+b) + \cos(a-b)\} \qquad (3\text{-}2\text{-}13)$$

가 된다. 이것을 이용하면

$$\int_0^T \cos\frac{2\pi m}{T}t\cos\frac{2\pi n}{T}tdt$$

$$= \frac{1}{2}\int_0^T\left(\cos\frac{2\pi(m+n)}{T}t + \cos\frac{2\pi(m-n)}{T}t\right)dt \qquad (3\text{-}2\text{-}14)$$

이다. 이때 m과 n이 자연수인 것이 아주 중요하다. 식 (3-2-8)에 의해

$$\int_0^T \cos\frac{2\pi(m+n)}{T}tdt = 0$$

이다. 이제

$$\int_0^T \cos\frac{2\pi(m-n)}{T}tdt$$

를 살펴보자.

수학양　이것도 식 (3-2-8)에 의해 0이에요?

정교수　그렇지 않아. 여기서 $m-n$은 0이 될 수도, 그렇지 않을 수도 있어. $m-n$이 0이 아니면 이 적분은 0이 되지만, $m-n$이 0이면 이 적분은 T가 되지. 이것을 수학자들은 다음과 같이 쓴다네.

$$\int_0^T \cos\frac{2\pi(m-n)}{T}tdt = T\delta_{nm} \tag{3-2-15}$$

δ_{nm}은 수학자 크로네커가 만든 기호로 크로네커 델타라고 부르는데 다음과 같이 정의하지.

$$\delta_{nm} = \begin{cases} 0 & (n \neq m) \\ 1 & (n = m) \end{cases}$$

예를 들면 $\delta_{11} = 1$이고 $\delta_{12} = 0$이야. 그러므로

$$\int_0^T \cos\frac{2\pi m}{T}t\cos\frac{2\pi n}{T}tdt = \frac{T}{2}\delta_{nm} \tag{3-2-16}$$

이 돼. 같은 방법으로 삼각함수의 공식을 이용하면

$$\int_0^T \cos\frac{2\pi m}{T}t\sin\frac{2\pi n}{T}tdt = 0 \tag{3-2-17}$$

$$\int_0^T \sin\frac{2\pi m}{T}t\sin\frac{2\pi n}{T}tdt = \frac{T}{2}\delta_{nm} \tag{3-2-18}$$

이 되지. 이건 자네가 증명할 수 있겠지?

물리군　네. 시도해 볼게요.

정교수　지금까지 결과를 정리하면

$$(\text{우변}) = \sum_{m=1}^{\infty} a_m \frac{T}{2}\delta_{nm} = \frac{T}{2}a_n$$

이 되네.

수학양　$\sum_{m=1}^{\infty} a_m \delta_{nm} = a_n$인가요?

정교수　맞아. 예를 들어 $n = 3$이라고 하면

$$\sum_{m=1}^{\infty} a_m \delta_{3m} = a_1\delta_{31} + a_2\delta_{32} + a_3\delta_{33} + a_4\delta_{34} + \cdots = a_3$$

이야.

물리군　그렇군요.

정교수　이제 (좌변) = (우변)으로부터

$$\int_0^T f(t)\cos\frac{2\pi n}{T}tdt = \frac{T}{2}a_n$$

이므로

$$a_n = \frac{2}{T}\int_0^T f(t)\cos\frac{2\pi n}{T}tdt \tag{3-2-19}$$

가 되지. 같은 방법으로

$$b_n = \frac{2}{T}\int_0^T f(t)\sin\frac{2\pi n}{T}tdt \tag{3-2-20}$$

가 돼.

수학양 b_n은 삼각함수를 이용해서 제가 증명해 볼게요.

정교수 좋은 생각이군.

물리군 푸리에 급수로 나타내는 예를 하나만 들어 주세요.

정교수 다음처럼 주기가 2인 주기함수를 살펴보겠네. 이 주기함수가 $0 < t < 2$에서 아래와 같다고 하세.

$$f(t) = \begin{cases} 1 & (0 < t < 1) \\ 0 & (1 < t < 2) \end{cases}$$

이 함수를 그래프로 나타내겠네.

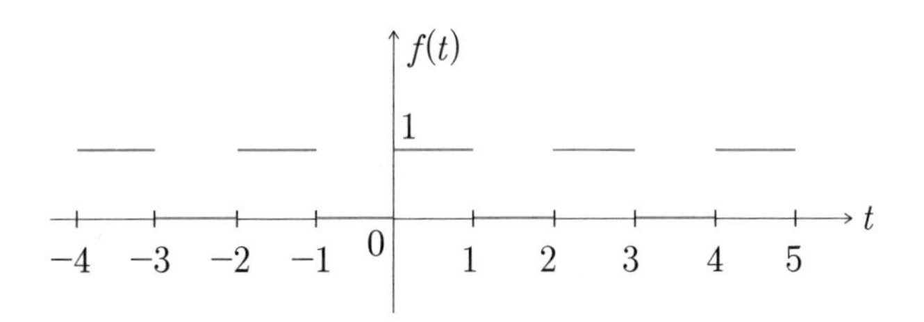

수학양 $T=2$가 되는군요.

정교수 그렇지. 이 함수에 대해

$$a_0 = \frac{1}{2}\int_0^2 f(t)\,dt = \frac{1}{2}\int_0^1 dt = \frac{1}{2}$$

이고,

$$a_n = \int_0^2 f(t)\cos\pi n t dt = \int_0^1 \cos\pi n t dt = 0$$

$$b_n = \int_0^2 f(t)\sin\pi n t dt = \frac{1}{\pi n}(1-\cos\pi n)$$

이 되지. 이 식에서

$$b_1 = \frac{2}{\pi} \qquad b_2 = 0 \qquad b_3 = \frac{2}{3\pi}$$

$$b_4 = 0 \qquad b_5 = \frac{2}{5\pi} \qquad b_6 = 0$$

$$\vdots$$

이야. 그러므로 다음과 같아.

$$f(t) = \frac{1}{2} + \sum_{n=1}^{\infty} \frac{1}{\pi n}(1 - \cos \pi n) \sin \pi n t$$

처음 몇 항만 구해서 풀어 쓰면

$$f(t) = \frac{1}{2} + \frac{2}{\pi}\left(\sin \pi t + \frac{1}{3}\sin 3\pi t + \frac{1}{5}\sin 5\pi t + \cdots\right) \qquad (3\text{–}2\text{–}21)$$

가 되지. 이것을 그래프로 그려 볼까? 컴퓨터는 무한대를 모르니까

$$f(t) = \frac{1}{2} + \sum_{n=1}^{M} \frac{1}{\pi n}(1 - \cos \pi n) \sin \pi n t$$

로 놓고 M의 값을 선택해서 그림을 그려 보겠네. 다음은 $M = 10$일 때의 그래프야.

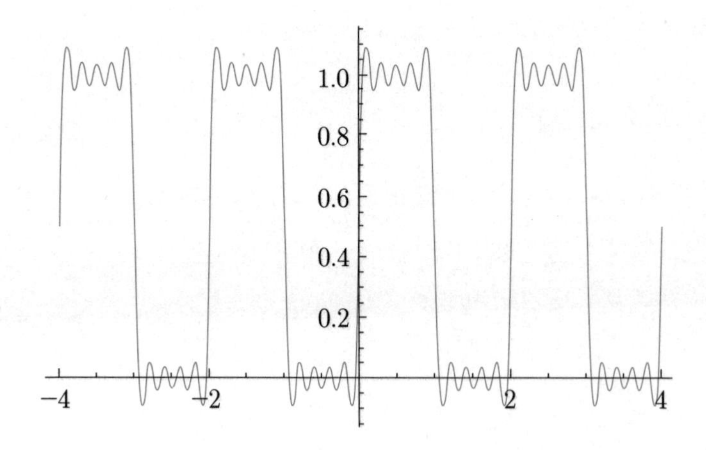

다음 그림은 $M = 100$인 경우를 나타낸 걸세.

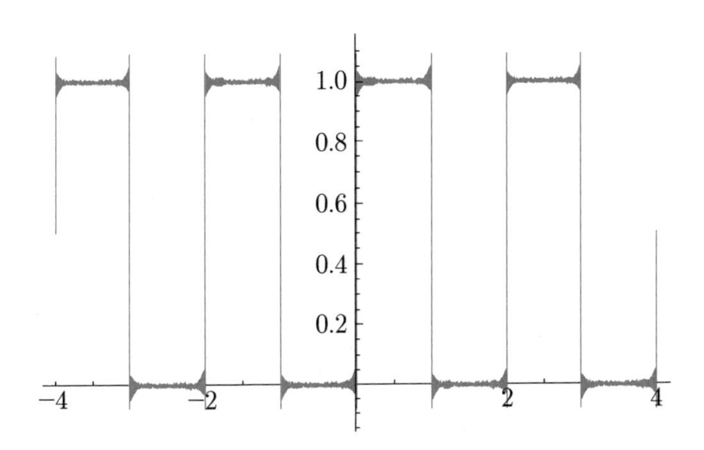

다음은 $M = 1000$일 때의 그림이야.

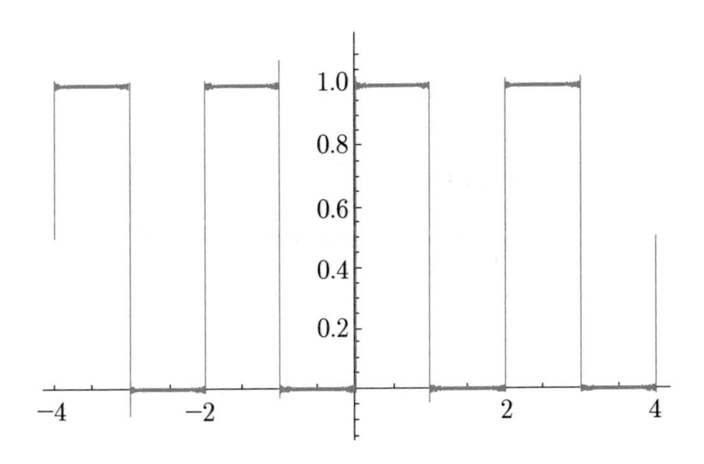

물리군　M이 커질수록 그래프가 처음과 비슷해지네요.

정교수 물론이야. M의 값이 무한대가 되면 완전히 똑같아지지. 여기서 재미있는 걸 보여 주겠네. 식 (3-2-21)에 $t=\frac{1}{2}$을 넣어 볼까? $t=\frac{1}{2}$이면 $f(t)=1$이니까

$$1=\frac{1}{2}+\frac{2}{\pi}\left(\sin\frac{\pi}{2}+\frac{1}{3}\sin\frac{3\pi}{2}+\frac{1}{5}\sin\frac{5\pi}{2}+\cdots\right)$$

또는

$$1=\frac{1}{2}+\frac{2}{\pi}\left(1-\frac{1}{3}+\frac{1}{5}-\frac{1}{7}+\frac{1}{9}-\frac{1}{11}+\cdots\right)$$

이 되지. 그러니까 원주율 π를 무한급수로 다음과 같이 나타낼 수 있어.

$$\pi=4\left(1-\frac{1}{3}+\frac{1}{5}-\frac{1}{7}+\frac{1}{9}-\frac{1}{11}+\cdots\right)$$

수학양 와우! 처음 보지만 너무나 예쁜 공식이에요.

복소수로 나타낸 푸리에 급수 _ 한 걸음 더 나아가자

정교수 이번에는 푸리에 급수를 복소수 지수함수로 나타내 보겠네.

식 (3-2-6)의 삼각함수를 오일러 공식에 의해 복소수 지수함수로 바꾸면

$$f(t) = a_0 + \sum_{n=1}^{\infty}\left[a_n \frac{1}{2}\left(e^{\frac{2\pi ni}{T}t} + e^{-\frac{2\pi ni}{T}t}\right) + b_n \frac{1}{2i}\left(e^{\frac{2\pi ni}{T}t} - e^{-\frac{2\pi ni}{T}t}\right)\right]$$

(3-3-1)

이다. 이 식에서

$$\frac{1}{2}(a_n - ib_n) = c_n$$

$$\frac{1}{2}(a_n + ib_n) = c_{-n}$$

$$a_0 = c_0$$

으로 놓자. 그러면

$$f(t) = c_0 + \sum_{n=1}^{\infty} c_n e^{\frac{2\pi ni}{T}t} + \sum_{n=1}^{\infty} c_{-n} e^{-\frac{2\pi ni}{T}t} \tag{3-3-2}$$

이 된다. 우변의 마지막 항에서 $n = -m$으로 놓으면

$$\sum_{n=1}^{\infty} c_{-n} e^{-\frac{2\pi ni}{T}t} = \sum_{m=-1}^{-\infty} c_m e^{\frac{2\pi mi}{T}t} = \sum_{n=-\infty}^{-1} c_n e^{\frac{2\pi ni}{T}t} \tag{3-3-3}$$

이다. 결국 식 (3-3-1)은

$$f(t) = \sum_{n=-\infty}^{\infty} c_n e^{\frac{2\pi ni}{T}t} \tag{3-3-4}$$

으로 쓸 수 있다.

물리군 식 (3-3-4)는 주기 T인 함수인가요?

정교수 그렇지. 확인해 볼까?

$$\sum_{n=-\infty}^{\infty} c_n e^{\frac{2\pi ni}{T}(t+T)} = \sum_{n=-\infty}^{\infty} c_n e^{\frac{2\pi ni}{T}t} e^{2\pi ni}$$

n이 정수일 때,

$$e^{2\pi ni} = \cos(2\pi n) + i\sin(2\pi n) = 1 + 0i = 1$$

이므로

$$\sum_{n=-\infty}^{\infty} c_n e^{\frac{2\pi ni}{T}(t+T)} = \sum_{n=-\infty}^{\infty} c_n e^{\frac{2\pi ni}{T}t} \tag{3-3-5}$$

이 되지.

수학양 주어진 주기함수에 대해 c_n을 결정할 수 있나요?

정교수 물론이야.

식 (3-3-4)를 다음과 같이 쓰자.

$$f(t) = \sum_{m=-\infty}^{\infty} c_m e^{\frac{2\pi mi}{T}t} \tag{3-3-6}$$

양변에 $e^{-\frac{2\pi ni}{T}t}$ 을 곱하면

$$f(t)e^{-\frac{2\pi ni}{T}t} = \sum_{m=-\infty}^{\infty} c_m e^{\frac{2\pi mi}{T}t} e^{-\frac{2\pi ni}{T}t}$$

이다. 위 식의 양변을 0부터 T까지 적분하자.

$$\int_0^T f(t)e^{-\frac{2\pi ni}{T}t}\,dt = \sum_{m=-\infty}^{\infty} c_m \int_0^T e^{\frac{2\pi mi}{T}t} e^{-\frac{2\pi ni}{T}t} dt$$

$$= \sum_{m=-\infty}^{\infty} c_m \int_0^T e^{\frac{2\pi(m-n)i}{T}t} dt \qquad (3\text{–}3\text{–}7)$$

여기서

$$\int_0^T e^{\frac{2\pi(m-n)i}{T}t}\,dt = \begin{cases} T & (m=n) \\ 0 & (m \neq n) \end{cases} \qquad (3\text{–}3\text{–}8)$$

이므로

$$\int_0^T f(t)e^{-\frac{2\pi ni}{T}t}\,dt = Tc_n$$

또는

$$c_n = \frac{1}{T}\int_0^T f(t)e^{-\frac{2\pi ni}{T}t} dt$$

가 된다. 이렇게 주어진 주기함수로부터 푸리에 계수 c_n을 결정할 수

있다.

물리군 식 (3-3-8)이 어떻게 나오는 건지 잘 모르겠어요.

정교수 그럼 증명해 볼까? $m=n$이면

$$\int_0^T e^{\frac{2\pi(m-n)i}{T}t}dt = \int_0^T e^{\frac{2\pi\times 0i}{T}t}dt = \int_0^T dt = T$$

이고, $m \neq n$ 이면

$$\begin{aligned}\int_0^T e^{\frac{2\pi(m-n)i}{T}t}\,dt &= \left[\frac{T}{2\pi(m-n)i}e^{\frac{2\pi(m-n)i}{T}t}\right]_0^T \\ &= \frac{T}{2\pi(m-n)i}e^{2\pi(m-n)i} - \frac{T}{2\pi(m-n)i} \\ &= \frac{T}{2\pi(m-n)i} - \frac{T}{2\pi(m-n)i} \\ &= 0\end{aligned}$$

이 되기 때문이야.

수학양 그렇군요.

네 번째 만남

•

불확정성원리 논문 속으로

하이젠베르크의 젊은 시절 _ 새로운 양자 이론의 등장 전야

정교수 지금부터는 불확정성원리 하면 떠오르는 사람인 하이젠베르크의 이야기를 할 거야.

하이젠베르크(Werner Karl Heisenberg, 1901~1976, 1932년 노벨 물리학상 수상)

하이젠베르크는 독일 남부의 뷔르츠부르크에서 태어났다. 그는 1920년부터 4년 동안 뮌헨 대학교와 괴팅겐 대학교에서 물리학과 수학을 공부했다. 그리고 1923년에 뮌헨에서 박사 학위를 취득했다. 그의 박사 과정 지도교수는 유명한 물리학자 조머펠트(Arnold Sommerfeld, 1868~1951)였으며, 연구 주제는 유체역학[13]의 난류였다. 실험에 관심이 없었던 하이젠베르크는 박사 학위 자격시험에서

13) 강물이나 공기의 흐름과 같은 유체의 운동을 역학적으로 다루는 이론

뷔르츠부르크

실험 물리학자 빈의 집요한 질문 공세에 대답을 거의 하지 못했지만, 조머펠트 교수의 강력한 추천으로 겨우 학위를 받을 수 있었다. 그 후 1924년 괴팅겐 대학교에서 교수가 되었고, 1927년에 라이프치히 대학교의 물리학과 교수가 되었다.

불확정성원리의 발견 외에도 하이젠베르크는 원자핵이 어떤 중성입자와 양성자로 이루어져 있다는 것을 처음 주장했다.

하이젠베르크는 피아노 연주 실력이 매우 뛰어났고, 어린 시절부터 상당한 수준의 철학 교육을 받았다. 그는 《물리학과 철학》이라는 책을 내기도 했으며, 자서전 격인 《부분과 전체》에서는 양자역학에서 제기되는 온갖 철학, 윤리, 사회, 정치, 종교적 주제를 다루었다.

물리군　유체역학으로 학위를 받은 사람이 어떻게 불확정성원리를 발견한 거죠?

정교수　1922년 하이젠베르크는 괴팅겐 대학에서 노벨 물리학상 수상자 보어를 기념하기 위해 열린 과학 축제에 참석해 보어를 처음 만났어. 하이젠베르크는 보어의 강연을 열심히 들었고, 보어의 원자모형에 관심을 가지게 되었지. 보어는 강연 도중 예리한 질문을 하는 하이젠베르크를 눈여겨보고, 코펜하겐 대학교 이론 물리센터에서 양자 이론을 함께 만들어 보자고 권했네. 하이젠베르크는 그 제안을 받아들여 1924년 코펜하겐으로 갔지.

이후 다시 괴팅겐 대학으로 돌아온 하이젠베르크는 동료인 보른과 공동 연구를 시작했어. 주제는 물론 새로운 양자 이론을 만드는 작업이었지. 보른은 보어의 원자모형을 제대로 설명하려면 고전 이론을 버리고 새로운 이론을 만들어야 한다고 생각했네.

물리군　새로운 양자 이론의 등장 전야였군요.

정교수　그렇지.

하이젠베르크와 보른의 대결 _ 행렬역학의 삼총사

정교수　1925년은 하이젠베르크와 보른 모두에게 아주 중요한 해였네. 불확정성원리가 탄생하니까 말이야.

물리군　둘이 함께 불확정성원리를 만든 건가요?

정교수 그렇지는 않아. 두 사람은 보어의 원자모형과 잘 맞는 양자 원리에 대해 독립적으로 도전했어.

1925년 4월 하이젠베르크는 코펜하겐에서 괴팅겐으로 돌아왔다. 새로운 양자 원리를 찾으려던 그는 심각한 꽃가루 열병에 시달려 연구를 할 수 없었다. 그해 6월 7일 독일 북해의 헬골란트로 휴양을 떠난 하이젠베르크는 맑은 공기를 쐬며 연구에 정진할 수 있었다. 그는 대학 시절 수리물리학 시간에 배운 푸리에 급수를 이용해서 보어의 원자모형과 어울리는 양자 원리를 발견했는데, 이것이 바로 불확정성원리였다. 괴팅겐으로 돌아온 그는 7월 초 아직 저널에 투고하지 않은 논문을 동료인 보른에게 읽어 보라고 건네주었다. 그리고 이런 말을 했다.

"논문의 내용이 너무 혁명적이어서 학술지에 투고할 자신이 없다."

– 하이젠베르크

보른은 하이젠베르크의 논문을 읽고 너무나 훌륭한 이론에 매료되었다. 하지만 내용이 어려워 그는 잘 이해할 수가 없었다. 하이젠베르크는 망설이다가 독일의 《물리학 저널(Zeitschrift für Physik)》에 이 논문을 보냈고, 1925년 7월 29일자로 접수되었다.

물리군 불확정성원리 최초의 논문이 투고된 날이군요.

정교수　맞아.

하이젠베르크의 논문을 읽은 보른은 1925년 7월 10일 새로운 양자 이론을 만드는 방법을 찾는 데 성공했다. 바로 대학 때 수리물리학 시간에 배운 행렬을 이용하는 것이었다. 혼자 연구하는 것보다 다른 물리학자와 함께하는 게 낫겠다고 판단한 그는 파울리에게 공동 연구를 제안했다. 하지만 파울리는 보른의 제안을 거절했다. 보른은 자신의 제자인 요르단에게 공동 연구를 제의했고 요르단이 이를 받아들여 두 사람의 연구가 시작되었다.

요르단(Ernst Pascual Jordan, 1902~1980)

보른과 요르단은 두 달 정도 미친 듯이 몰두하여 논문을 완성했다. 그리고 하이젠베르크보다 약 두 달 늦은 9월 27일 《물리학 저널》에 논문을 접수했다. 그들의 논문은 행렬을 이용해 양자 이론을 묘사하는 내용이었다. 사람들은 이 양자 이론을 행렬역학이라고 부르게 되었다. 그 후 보른과 요르단은 하이젠베르크와 공동으로 논문의 후속 편을 11월 16일 같은 저널에 투고했다.

물리군 한 저널에 세 편의 불확정성원리 논문이 실렸네요.

정교수 그렇지. 하이젠베르크 논문, 보른-요르단 논문, 보른-요르단-하이젠베르크 논문을 행렬역학의 삼총사 논문이라고 부른다네.

물리군 노벨상은 세 사람이 받았나요?

정교수 1928년 아인슈타인은 하이젠베르크, 보른, 요르단을 노벨 물리학상 후보로 추천했어. 그런데 1932년 노벨 물리학상 수상 위원회는 불확정성원리의 발견으로 하이젠베르크의 단독 수상을 결정했네. 하이젠베르크는 보른과 요르단이 행렬역학의 완성에 얼마나 기여했는지 강조하며 자신의 단독 수상이 '잘못된 결정'이라고 주장했지만 노벨상 결과는 달라지지 않았지. 보른은 1954년 노벨 물리학상을 받으니까 괜찮지만 요르단은 노벨상 수상 기회를 놓친 셈이야.

물리군 그런 역사가 있었군요.

정교수 노벨상 수상과 관계없이 우리는 행렬역학의 창시자를 하이젠베르크-보른-요르단이라고 말한다네.

하이젠베르크의 불확정성원리 _ 불연속 대 연속

정교수　이제 하이젠베르크의 논문 속으로 들어가 보겠네. 하이젠베르크는 코펜하겐에서 보어의 강연에 감명받았어. 그래서 보어의 원자모형 논문을 여러 차례 읽었지. 거기서부터 출발해 볼까?

보어의 원자모형에 따르면 원자핵 주위를 도는 전자가 있을 수 있는 궤도는 불연속이다. 이 불연속적인 궤도는 양자수인 정수 n으로 묘사하며 $n = 1, 2, 3, \cdots$ 이다.

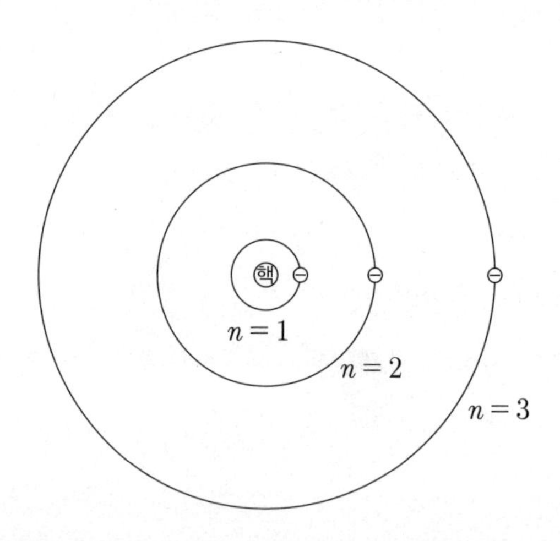

하이젠베르크는 만일 n이 0부터 무한대까지 연속적으로 변하면, 이것은 고전물리학에 대응한다고 보았다.

물리군 불연속은 양자 이론, 연속은 고전 이론이라고 생각하면 되겠군요.

정교수 우선은 그 정도로 이해해주면 좋겠네.

하이젠베르크는 먼저 전자가 고전 이론에 따라 원운동을 하는 경우를 생각했다. 이때 전자는 원자핵 주위 어느 곳에나 있을 수 있는데, n[14]으로 묘사하는 궤도를 도는 전자의 주기를 $T(n)$이라고 하면 진동수는

$$\nu(n) = \frac{1}{T(n)} \tag{4-3-1}$$

이다. 물리학자들은 각진동수 $w(n)$을

$$w(n) = \frac{2\pi}{T(n)} = 2\pi\nu(n) \tag{4-3-2}$$

으로 정의한다.

하이젠베르크는 고전물리를 따르는 전자가 주기운동을 하므로 시각 t에서 전자의 위치를 푸리에 급수로 나타낼 수 있다고 생각했다. 시각이 t일 때 전자의 위치 $x(n, t)$는 다음과 같이 푸리에 급수로 표현할 수 있다.

14) 여기서 n은 0부터 ∞까지 변하는 실수이다.

$$x(n,t) = \sum_{\alpha=-\infty}^{\infty} X_\alpha(n) e^{i\alpha w(n)t} \tag{4-3-3}$$

여기서 α는 $-\infty$부터 ∞까지 변하는 정수이다. 전자의 위치는 실수이므로

$$x(n,t) = x(n,t)^* \tag{4-3-4}$$

라고 하자. $*$는 복소수의 켤레를 의미한다. 주어진 복소수에서 i를 $-i$로 바꾸면 켤레가 얻어진다. 이때

$$x(n,t)^* = \sum_{\alpha=-\infty}^{\infty} X_\alpha^*(n) e^{-i\alpha w(n)t} \tag{4-3-5}$$

이다. α를 $-\alpha$로 바꾸면

$$x(n,t)^* = \sum_{\alpha=-\infty}^{\infty} X_{-\alpha}^*(n) e^{i\alpha w(n)t} \tag{4-3-6}$$

이 된다. 그러므로 위치가 실수이기 위한 조건은

$$X_\alpha(n) = X_{-\alpha}^*(n) \tag{4-3-7}$$

이다. 하이젠베르크는 고전물리학에서 $x(n,t)^2$을 계산해 보았다.

$$x(n,t)^2 = \sum_{\alpha=-\infty}^{\infty} X_\alpha(n) e^{i\alpha w(n)t} \sum_{\gamma=-\infty}^{\infty} X_\gamma(n) e^{i\gamma w(n)t}$$

$$= \sum_{\alpha=-\infty}^{\infty} \sum_{\gamma=-\infty}^{\infty} X_\alpha(n) X_\gamma(n) e^{i(\alpha+\gamma)w(n)t} \tag{4-3-8}$$

여기서

$$\alpha + \gamma = \beta \tag{4-3-9}$$

로 놓으면

$$\gamma = \beta - \alpha \tag{4-3-10}$$

이므로

$$x(n,t)^2 = \sum_{\alpha=-\infty}^{\infty} \sum_{\beta=-\infty}^{\infty} X_\alpha(n) X_{\beta-\alpha}(n) e^{i\beta w(n)t}$$

$$= \sum_{\beta=-\infty}^{\infty} \left(\sum_{\alpha=-\infty}^{\infty} X_\alpha(n) X_{\beta-\alpha}(n) \right) e^{i\beta w(n)t} \tag{4-3-11}$$

이 된다. 따라서 $x(n, t)^2$의 푸리에 급수를

$$x(n,t)^2 = \sum_{\beta=-\infty}^{\infty} Y_\beta(n) e^{i\beta w(n)t} \tag{4-3-12}$$

라고 하면 $x(n, t)^2$과 $x(n, t)$의 푸리에 계수의 관계는 다음과 같다.

$$Y_\beta(n) = \sum_{\alpha=-\infty}^{\infty} X_\alpha(n) X_{\beta-\alpha}(n) \quad (4\text{-}3\text{-}13)$$

이렇게 하이젠베르크는 n이 연속적으로 변하는 고전 이론에서 $x(n, t)^2$과 $x(n, t)$의 푸리에 계수 사이의 관계를 찾았다.

물리군　하지만 양자 이론에서는 n이 불연속이잖아요?

정교수　그게 바로 하이젠베르크에게 주어진 과제였지. 그는 전자가 보어의 원자모형에 따라 $n = 1, 2, 3, \cdots$ 에 대응하는 곳에 있다면 식 (4-3-13)은 어떻게 바뀌어야 하는지 고민했어.

하이젠베르크는 n이 연속적인 경우와 비교하기 위해 보어의 n을 $n-1$로 바꾸었다. 따라서 $n = 0, 1, 2, \cdots$ 가 된다.

보어의 원자모형에 따르면 전자가 양자수 n인 궤도에 있을 때 전자가 갖는 에너지는 n에 따라 달라진다. 이 에너지를 $W(n)$이라고 하자. 즉, 보어의 원자모형에서 전자가 가질 수 있는 에너지는

$$W(0), W(1), W(2), \cdots$$

이다. 여기서 에너지는 오름차순으로 쓴다.

$$W(0) < W(1) < W(2) < \cdots$$

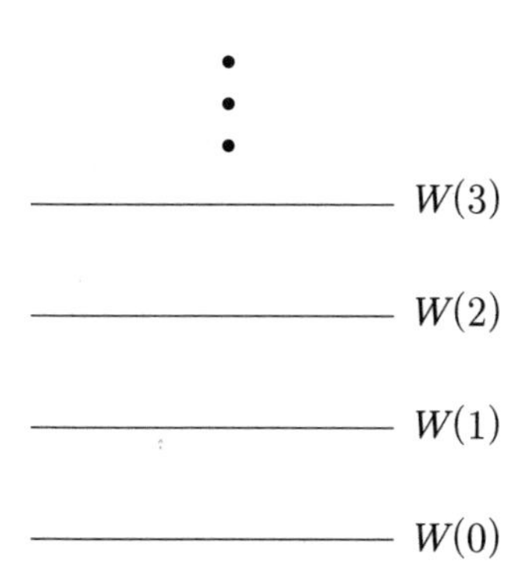

일반적으로 전자가 가지는 에너지는

$$W(n) \quad (n=0, 1, 2, \cdots) \tag{4-3-14}$$

이 되어 정수에 의존한다. 이것을 레벨 n의 에너지라고 부르자.

보어의 이론에 의하면 전자는 높은 에너지 레벨에서 광자를 방출하면서 낮은 에너지 레벨로 이동한다. 이때 광자가 가진 에너지는 두 레벨의 에너지 차이에 대응한다. 예를 들어 전자가 $W(n)$의 에너지를 갖고 있다가 진동수가 ν인 광자를 방출하여 에너지가 $W(n-1)$이 되었다고 하자. 플랑크에 의해 진동수가 ν인 광자 하나의 에너지는 $h\nu$이므로 다음 관계식을 얻는다.

$$W(n) - h\nu = W(n-1) \tag{4-3-15}$$

여기서 ν는 레벨 n에서 레벨 $n-1$로 전자가 이동할 때 방출하는 광자의 진동수이므로 이것을

$$\nu(n, n-1)$$

이라고 하자. 그러므로

$$W(n) - h\nu(n, n-1) = W(n-1) \tag{4-3-16}$$

이 된다.

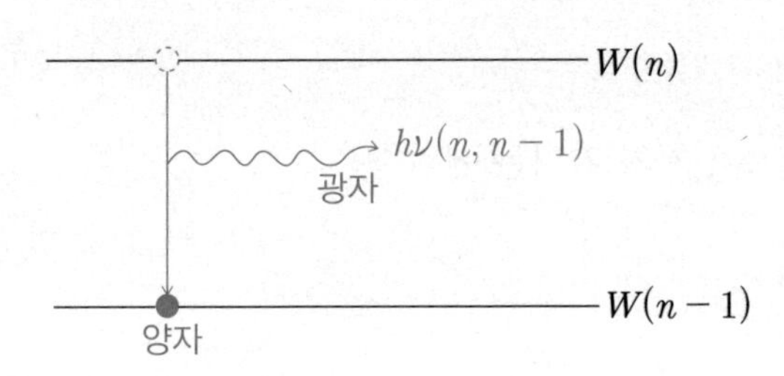

레벨 n에 있던 전자가 꼭 레벨 $n-1$로 이동할 필요는 없다. 두 레벨을 움직여 레벨 $n-2$로 옮겨갈 수도 있다. 이때 방출하는 광자의 진동수는

$$\nu(n, n-2)$$

이다.

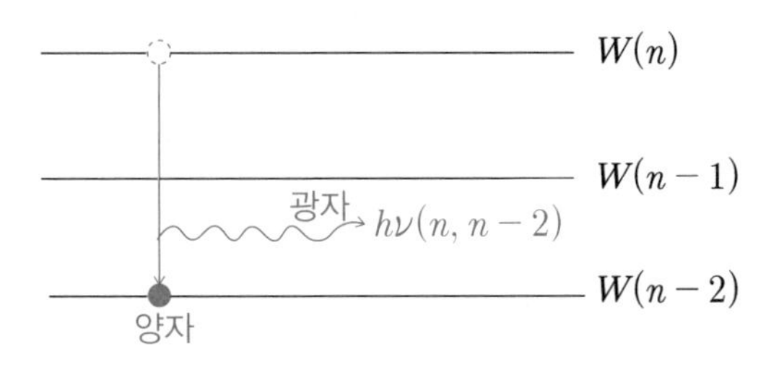

이것을 식으로 나타내면 다음과 같다.

$$W(n) - h\nu(n, n-2) = W(n-2) \tag{4-3-17}$$

즉, 레벨 n에 있던 전자가 레벨 $n - \alpha$로 이동할 때 방출하는 광자의 진동수는

$$\nu(n, n-\alpha)$$

이다. 여기서 α는 양수이고,

$$W(n) - h\nu(n, n-\alpha) = W(n-\alpha) \quad (\alpha\text{는 양수}) \tag{4-3-18}$$

가 된다.

물리군 보어의 이론에 따르면 광자를 흡수하는 경우도 있잖아요?

정교수 맞아. 광자의 방출뿐만 아니라 흡수도 가능하지.

전자는 낮은 에너지 레벨에서 광자를 흡수하면서 높은 에너지 레

벨로 이동한다. 이때 흡수한 광자가 가진 에너지는 두 레벨의 에너지 차이이다. 예를 들어 전자가 $W(n)$의 에너지를 갖고 있다가 진동수 ν인 광자를 흡수해 에너지가 $W(n+1)$이 되었다고 하자. 플랑크에 의해 진동수가 ν인 광자 하나의 에너지는 $h\nu$이므로 다음 관계식을 얻는다.

$$W(n) + h\nu = W(n+1) \tag{4-3-19}$$

여기서 ν는 레벨 n에서 레벨 $n+1$로 전자가 이동할 때 흡수한 광자의 진동수이므로 이것을

$$\nu(n, n+1)$$

이라고 하자. 따라서

$$W(n) + h\nu(n, n+1) = W(n+1) \tag{4-3-20}$$

이다. 이 진동수는 다음과 같이 쓸 수도 있다.

$$\nu(n, n-(-1))$$

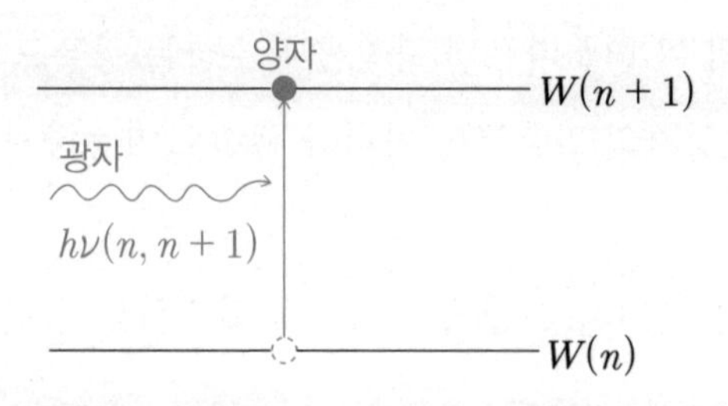

레벨 n에 있던 전자가 광자를 흡수해 두 레벨을 움직여 레벨 $n+2$로 옮겨갈 수도 있다. 이때 흡수한 광자의 진동수는

$$\nu(n, n+2) = \nu(n, n-(-2))$$

이다. 즉, 레벨 n에 있던 전자가 레벨 $n-\alpha$(α는 음수)로 이동할 때 흡수한 광자의 진동수는

$$\nu(n, n-\alpha)$$

이다. 여기서 α는 음수이고,

$$W(n) + h\nu(n, n-\alpha) = W(n-\alpha) \quad (\alpha\text{는 음수}) \tag{4-3-21}$$

가 된다. 따라서 방출의 경우

$$\nu(n, n-\alpha) = \frac{1}{h}[W(n) - W(n-\alpha)] \quad (\alpha > 0) \tag{4-3-22}$$

가 되고 흡수의 경우

$$\nu(n, n-\alpha) = \frac{1}{h}[W(n-\alpha) - W(n)] \quad (\alpha < 0) \tag{4-3-23}$$

이 된다. 하이젠베르크는 고전역학에서 전자의 위치를 푸리에 급수로 쓴 것을 떠올렸다. 하지만 불연속인 궤도만 허용되는 보어 이론은 고전역학의 방법과 다를 것으로 생각했다. 하이젠베르크는 고전역학적인 원자모형에서 전자의 위치 $x(n, t)$에 대응하는 양자 이론에서의

위치를 나타내는 양을

$$\hat{x}(n, t)$$

라고 썼다. 이것은 전자가 레벨 n에 있는 경우를 묘사한다. 하이젠베르크는 식 (4-3-3)에 대응하는 양자 이론의 식을

$$\hat{x}(n, t) = \sum_{\alpha=-\infty}^{\infty} X(n, n-\alpha) e^{iw(n,n-\alpha)t} \tag{4-3-24}$$

으로 놓았다. 그리고 $\hat{x}(n, t)$가 실수가 되는 조건으로부터

$$X(n, n-\alpha) = X^*(n-\alpha, n) \tag{4-3-25}$$

을 알아냈다. 하이젠베르크는 고전 이론에서 $x(n, t)^2$에 대응하는 양

$$\hat{x}(n, t)^2$$

을 생각해 보았다. 식 (4-3-13)을 얻을 때와 같은 방법을 쓰면

$$\hat{x}(n, t)^2 = \sum_{\beta=-\infty}^{\infty} Y(n, n-\beta) e^{iw(n,n-\beta)t} \tag{4-3-26}$$

이 되고, 여기서

$$w(n, n-\alpha) + w(n-\alpha, n-\beta) = w(n, n-\beta) \tag{4-3-27}$$

$$Y(n, n-\beta) = \sum_{\alpha} X(n, n-\alpha) X(n-\alpha, n-\beta) \qquad (4\text{-}3\text{-}28)$$

이다. 이것이 바로 하이젠베르크가 찾아낸 불확정성원리이다. 다른 말로는 하이젠베르크의 곱셈 규칙이라고도 부른다.

물리군 제가 알고 있는 불확정성원리와 모양이 다른데요?

정교수 그럴 거야. 우리가 알고 있는 불확정성원리의 형태는 하이젠베르크가 아닌 보른이 발견한 걸세. 그 이야기는 조금 뒤에 하기로 하겠네.

보어의 양자화 조건에 대하여 _ 새로운 곱셈 규칙의 적용

정교수 하이젠베르크는 보어의 양자화 조건을 자신의 새로운 곱셈 규칙으로 만들 필요가 있었어.

물리군 보어의 양자화 조건이요?

정교수 두 번째 만남에서 1924년 드브로이가 모든 물질은 입자인 동시에 파동이라는 물질의 이중성을 주장한 이야기 기억하지? 여기서부터 차근차근 생각해 보세.

이 이론에 따라 질량 m인 입자가 속도 v로 움직이는 것을 파동으로 묘사하면 그 파동의 파장 λ는

$$\lambda = \frac{h}{mv} \tag{4-4-1}$$

가 된다. 물리학자들은 질량과 속도의 곱을 운동량이라 하고 p로 나타내니까

$$\lambda = \frac{h}{p} \tag{4-4-2}$$

이다. 보어는 전자가 반지름이 r인 원궤도에 있을 때 전자를 묘사하는 파동에서 파장의 정수배가 원둘레의 길이가 되어야 한다고 생각했다. 다음 그림은 파장의 3배가 원둘레가 되는 경우이다.

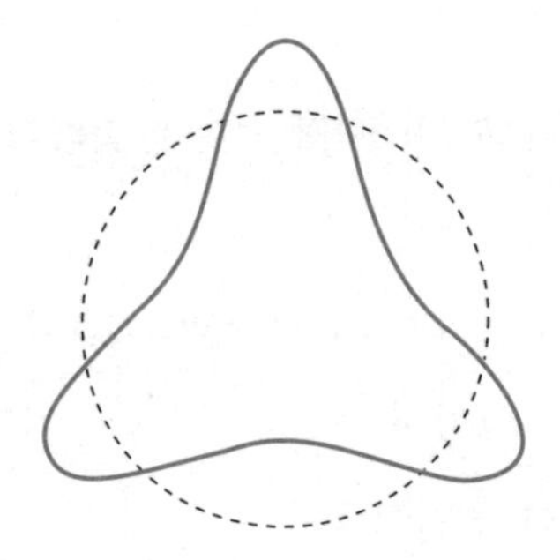

만일 파장의 정수배가 원둘레의 길이가 되지 않으면 파동이 닫히지 않아 간섭에 의해 소멸하기 때문이다. 파동의 소멸은 전자가 사라지는 것을 의미하므로 이러한 일은 일어나지 말아야 한다. 따라서 보어의 조건은

$$2\pi r = n\lambda \quad (n = 1, 2, 3, \cdots) \tag{4-4-3}$$

이다. 드브로이의 관계식으로부터

$$p \times (2\pi r) = nh \tag{4-4-4}$$

가 된다. 이 식을 보다 일반적으로 다음과 같이 쓸 수 있다. 전자가 레벨 n인 궤도에 있을 때

$$\oint p dx = nh \quad (n = 1, 2, 3, \cdots) \tag{4-4-5}$$

이다. $\oint$은 한 바퀴를 도는 적분을 말한다. 여기서 p는 운동량으로

$$p = m\dot{x}$$

이다. 속도 v는 $v = \frac{dx}{dt} = \dot{x}$로 쓴다.

먼저 하이젠베르크는 전자의 운동이 고전역학을 따르는 경우를 생각했다. 보어의 양자 이론에 따르면 n은 불연속적이지만 고전 이론에서는 n이 연속적으로 변한다.

하이젠베르크는 전자가 고전역학을 따를 때, $x = x(n, t)$로 놓을 수 있다고 보았다. 따라서 보어의 양자화 조건은

$$\oint m\dot{x} dx = nh \tag{4-4-6}$$

이다. 이 식을 다시 쓰면

$$\oint m\dot{x}dx = \oint m\dot{x}\frac{dx}{dt}dt = \oint m\dot{x}^2 dt \tag{4-4-7}$$

가 된다. n으로 묘사하는 궤도에서 전자의 운동 주기를 $T(n)= T$라고 하면

$$\oint m\dot{x}^2 dt = \int_0^T m\dot{x}^2 dt \tag{4-4-8}$$

이다. x의 시간 미분은

$$\dot{x} = \sum_\alpha i\alpha w(n) X_\alpha(n) e^{i\alpha w(n)t} \tag{4-4-9}$$

이고, 이를 제곱하면

$$\begin{aligned}\dot{x}^2 &= \sum_\alpha i\alpha w(n) X_\alpha(n) e^{i\alpha w(n)t} \sum_\beta i\beta w(n) X_\beta(n) e^{i\beta w(n)t} \\ &=-\sum_\alpha \sum_\beta \alpha\beta w(n)^2 X_\alpha(n) X_\beta(n) e^{i(\alpha+\beta)w(n)t}\end{aligned} \tag{4-4-10}$$

이 된다. 그러므로

$$\int_0^T m\dot{x}^2 dt =- m\sum_\alpha \sum_\beta \alpha\beta w(n)^2 X_\alpha(n) X_\beta(n) \int_0^T e^{i(\alpha+\beta)w(n)t} dt \tag{4-4-11}$$

이다. 여기서

$$\int_0^T e^{i(\alpha+\beta)w(n)t}\,dt = \begin{cases} T & (\beta = -\alpha) \\ 0 & (\beta \neq -\alpha) \end{cases}$$

이므로

$$\int_0^T m\dot{x}^2\,dt = mT\sum_{\alpha}\alpha^2 w^2 X_\alpha X_{-\alpha} \tag{4-4-12}$$

이다. $wT = 2\pi$를 이용하면

$$\int_0^T m\dot{x}^2\,dt = 2\pi m\sum_{\alpha}|X_\alpha(n)|^2\alpha^2 w(n) \tag{4-4-13}$$

이 된다. 그러므로 보어의 양자화 조건 (4-4-6)은

$$nh = 2\pi m\sum_{\alpha}|X_\alpha(n)|^2\alpha^2 w(n) \tag{4-4-14}$$

이다. 고전 이론에서는 n이 연속적으로 변하므로, 이 식의 양변을 n으로 미분하면

$$h = 2\pi m\sum_{\alpha=-\infty}^{\infty}\alpha\frac{d}{dn}\left[|X_\alpha(n)|^2\alpha w(n)\right] \tag{4-4-15}$$

이 된다. 이때

$$\sum_{\alpha=-\infty}^{\infty} \alpha \frac{d}{dn}[|X_\alpha(n)|^2 \alpha w(n)]$$

$$= \sum_{\alpha=-\infty}^{-1} \alpha \frac{d}{dn}[|X_\alpha(n)|^2 \alpha w(n)] + \sum_{\alpha=0}^{\infty} \alpha \frac{d}{dn}[|X_\alpha(n)|^2 \alpha w(n)]$$

(4-4-16)

이고, 이 식의 첫 번째 항에서 α를 $-\alpha$로 바꾸면

$$\sum_{\alpha=-\infty}^{-1} \alpha \frac{d}{dn}[|X_\alpha(n)|^2 \alpha w(n)] = \sum_{\alpha=1}^{\infty} \alpha \frac{d}{dn}[|X_\alpha(n)|^2 \alpha w(n)]$$

$$= \sum_{\alpha=0}^{\infty} \alpha \frac{d}{dn}[|X_\alpha(n)|^2 \alpha w(n)]$$

(4-4-17)

이 된다. 그러므로 식 (4-4-15)는

$$h = 4\pi m \sum_{\alpha=0}^{\infty} \alpha \frac{d}{dn}[|X_\alpha(n)|^2 \alpha w(n)] \quad (4\text{-}4\text{-}18)$$

이다. 이는 n이 연속적으로 변하는 고전역학을 적용한 것이다.

물리군 양자 이론에서는 $n = 0, 1, 2, 3, \cdots$ 처럼 불연속적인 경우만 허용하니까 식 (4-4-18)이 달라지겠군요.

정교수 그렇다네. 이렇게 n이 불연속적으로 변하는 경우에 $\frac{d}{dn}$은 정의되지 않아. 따라서 불연속적인 n에 대응하는 미분을 찾아야 해.

하이젠베르크는 각진동수나 푸리에 계수가 n에서 $n-\alpha$ 또는 $n+\alpha$에서 n으로의 전이를 나타낸다고 생각했다. 그는 α가 너무너무 작아 거의 0에 가까워지는 극한을 양자론에서 고전 이론으로 가는 경우로 보았다.

다음과 같은 함수를 생각하자.

$$f(u, v)$$

여기서 u와 v는 n의 함수이다. α가 아주 작아 거의 0에 가까워지는 경우, 테일러 전개에 의해

$$f(n+\alpha, n) \approx f(n, n) + \alpha \frac{\partial f}{\partial u} \qquad (4\text{–}4\text{–}19)$$

$$f(n, n-\alpha) \approx f(n, n) - \alpha \frac{\partial f}{\partial v} \qquad (4\text{–}4\text{–}20)$$

가 된다. 한편 u, v는 n의 일차함수이므로

$$\frac{du}{dn} = \frac{dv}{dn} = 1$$

이다. 그러므로

$$f(n+\alpha, n) \approx f(n, n) + \alpha \frac{\partial f}{\partial u}\frac{du}{dn} \qquad (4\text{–}4\text{–}21)$$

$$f(n, n-\alpha) \approx f(n, n) - \alpha \frac{\partial f}{\partial v}\frac{dv}{dn} \qquad (4\text{–}4\text{–}22)$$

이 된다. 두 식을 빼면

$$f(n+\alpha, n)-f(n, n-\alpha) \approx \alpha\left(\frac{\partial f}{\partial u}\frac{du}{dn}+\frac{\partial f}{\partial v}\frac{dv}{dn}\right)$$

$$=\alpha\frac{df}{dn} \qquad (4\text{–}4\text{–}23)$$

이다. 따라서 n이 연속적으로 변하는 경우의 $\alpha\frac{df}{dn}$은 n이 불연속적으로 변하는 경우의 $f(n+\alpha,\ n)-f(n, n-\alpha)$에 대응한다는 것을 알아냈다. 이 사실로부터 하이젠베르크는 다음과 같이 식 (4–4–18)의 짝이 되는 양자 이론의 식을 얻었다.

$$h = 4\pi m\sum_{\alpha=0}^{\infty}\left[|X(n+\alpha, n)|^2 w(n+\alpha, n)-|X(n, n-\alpha)|^2 w(n, n-\alpha)\right]$$

(4–4–24)

물리군 상당히 복잡한 관계식이군요.

양자 단조화 진동 문제 _ 양자론에서 나타나는 불연속적 위치의 이동

정교수 하이젠베르크 논문의 마지막 부분은 양자 이론으로 단조화 진동을 묘사하는 걸세.

물리군 용수철에 매달린 추의 운동처럼요?

정교수 그렇지. 하이젠베르크는 단조화 진동 문제의 양자 버전을 찾으려고 했네.

고전역학에서 단조화 진동 문제는

$$\ddot{x} + w^2 x = 0 \tag{4-5-1}$$

이다. 하이젠베르크는 고전물리학의 용수철 문제에서는 매달린 질량 m인 추의 위치 x가 연속적으로 변하지만 양자 이론을 적용하면 위치가 불연속적으로 달라질 것으로 생각했다. 이렇게 양자론에서 나타나는 불연속적인 위치의 이동을 양자 전이라고 부른다.

하이젠베르크는 단조화 진동을 하는 질량 m인 전자가 인접한 레벨로만 전이가 된다고 보았다. 이것은

$$\alpha = \pm 1 \tag{4-5-2}$$

을 뜻한다.

또한 시각 t에서 레벨 n의 전자의 위치를 $\hat{x}(n, t)$라고 할 때, 다음과 같은 두 전이가 가능하다고 판단했다.

$$n \rightarrow n-1 \text{ 또는 } n \rightarrow n+1$$

따라서 레벨 n의 전자의 위치 $\hat{x}(n, t)$는

$$\hat{x}(n, t) = X(n, n-1)e^{iw(n, n-1)t} + X(n, n+1)e^{iw(n, n+1)t} \tag{4-5-3}$$

을 만족한다. 여기서 $n = 0, 1, 2, \cdots$ 이다.

이 식을 시간에 대해 두 번 미분하면

$$\frac{d^2}{dt^2}\hat{x}(n, t) = -w(n, n-1)^2 X(n, n-1)e^{iw(n, n-1)t}$$

$$-w(n, n+1)^2 X(n, n+1)e^{iw(n, n+1)t} \quad (4\text{-}5\text{-}4)$$

이다. 하이젠베르크는 양자 이론에서 전자의 위치 $\hat{x}(n, t)$가

$$\frac{d^2}{dt^2}\hat{x}(n, t) = -w^2\hat{x}(n, t) \quad (4\text{-}5\text{-}5)$$

라고 생각했다. 이 식에 식 (4–5–3)과 (4–5–4)를 넣으면

$$w(n, n-1)^2 = w(n, n+1)^2 = w^2 \quad (4\text{-}5\text{-}6)$$

또는

$$w(n, n-1) = w$$
$$w(n, n+1) = -w \quad (4\text{-}5\text{-}7)$$

이다. $n \to n-1$ 전이에서는 빛이 방출되므로 양의 각진동수를 택했고, $n \to n+1$ 전이에서는 빛이 흡수되므로 음의 각진동수를 택했다. 일반적으로

$$w(n, m) = -w(m, n) \quad (4\text{-}5\text{-}8)$$

이 성립한다. 이 식에서 $m = n$으로 놓으면

$$w(n, n) = 0$$

이다. 이때 보어의 양자화 조건은 다음과 같다.

$$\frac{h}{4\pi m} = w(n+1, n)|X(n+1, n)|^2 - w(n, n-1)|X(n, n-1)|^2$$

$$= w(|X(n+1, n)|^2 - |X(n, n-1)|^2) \quad \text{(4–5–9)}$$

전자가 있을 수 있는 레벨은 $n = 0, 1, 2, \cdots$ 이므로 $n = 0$에서 $n = -1$로의 전이는 존재하지 않는다. 즉,

$$X(0, -1) = 0 \quad \text{(4–5–10)}$$

이다. 따라서 식 (4–5–9)를 식 (4–5–10)의 조건과 함께 풀면

$$|X(n, n-1)|^2 = \frac{h}{4\pi m w} n \quad (n = 0, 1, 2, \cdots) \quad \text{(4–5–11)}$$

이 된다. 하이젠베르크는 양자 이론에 따라 전자가 단조화 진동을 할 때 에너지(더 정확하게는 역학적 에너지)를 구하기 위해 레벨 n에서의 역학적 에너지

$$W(n) = \frac{1}{2} m \left(\frac{d\hat{x}}{dt}\right)^2 + \frac{1}{2} m w^2 \hat{x}^2 \quad \text{(4–5–12)}$$

을 계산했다. 이를 위해 전자가 레벨 n에서 인접 레벨로 갔다가 다시 레벨 n으로 오는 경우를 고려했다. 그러면

$$\hat{x}(n,t)^2 = \sum_{\beta=-\infty}^{\infty} Y(n, n-\beta)\, e^{iw(n,n-\beta)t} \tag{4-5-13}$$

에서 $\beta = 0$이어야 한다. 즉,

$$\hat{x}(n,t)^2 = Y(n,n)\, e^{iw(n,n)t}$$

$$= \sum_{\alpha} X(n, n-\alpha) X(n-\alpha, n)$$

$$= \sum_{\alpha} |X(n, n-\alpha)|^2$$

$$= |X(n, n-1)|^2 + |X(n, n+1)|^2 \tag{4-5-14}$$

이다. 한편 우리는 다음을 알고 있다.

$$\frac{d\hat{x}}{dt} = \sum_{\alpha} iw(n, n-\alpha) X(n, n-\alpha)\, e^{iw(n,n-\alpha)t} \tag{4-5-15}$$

$$\left(\frac{d\hat{x}}{dt}\right)^2 = \sum_{\alpha} iw(n, n-\alpha) X(n, n-\alpha)\, e^{iw(n,n-\alpha)t}$$

$$\times \sum_{\beta} iw(n-\alpha, n-\beta) X(n-\alpha, n-\beta)\, e^{iw(n-\alpha,n-\beta)t}$$

$$= -\sum_{\alpha}\sum_{\beta} w(n, n-\alpha)\, w(n-\alpha, n-\beta) X(n, n-\alpha)$$

$$X(n-\alpha, n-\beta)\, e^{i[w(n,n-\alpha)+w(n-\alpha,n-\beta)]t} \tag{4-5-16}$$

식 (4-5-16)에 $\beta = 0$을 넣으면

$$\left(\frac{d\hat{x}}{dt}\right)^2 = -\sum_{\alpha} w(n, n-\alpha) w(n-\alpha, n) X(n, n-\alpha) X(n-\alpha, n) \tag{4-5-17}$$

이 된다. 여기서

$$w(n, n-\alpha) \ = \ -w(n-\alpha, n)$$

과 식 (4-3-24)를 이용하면

$$\left(\frac{d\hat{x}}{dt}\right)^2 = \sum_{\alpha} w(n, n-\alpha)^2 |X(n, n-\alpha)|^2 \tag{4-5-18}$$

이다. α는 1 또는 -1이므로

$$\left(\frac{d\hat{x}}{dt}\right)^2 = w(n, n-1)^2 |X(n, n-1)|^2 + w(n, n+1)^2 |X(n, n+1)|^2$$

$$= w^2 (|X(n, n-1)|^2 + |X(n, n+1)|^2) \tag{4-5-19}$$

이 된다. 따라서

$$W(n) = mw^2 (|X(n, n-1)|^2 + |X(n, n+1)|^2) \tag{4-5-20}$$

이다. $X(n, n-\alpha) = X^*(n-\alpha, n)$에 $\alpha = -1$을 넣으면

$$X(n, n+1) = X^*(n+1, n)$$

이므로

$$W(n) = mw^2(|X(n, n-1)|^2 + |X(n+1, n)|^2)$$

$$= mw^2\left[\frac{h}{4\pi mw}n + \frac{h}{4\pi mw}(n+1)\right]$$

$$= \hbar w\left(n + \frac{1}{2}\right) \qquad (4\text{-}5\text{-}21)$$

이 된다. 여기서

$$\hbar = \frac{h}{2\pi}$$

이다.

보른의 불확정성원리 _ 위치와 속도에 주목하다

정교수 이제 하이젠베르크의 논문을 읽은 보른의 아이디어를 알아보겠네.

보른(Max Born, 1882~1970, 1954년 노벨 물리학상 수상)

보른은 1882년 독일제국의 브레슬라우(현재 폴란드의 브로츠와프)에서 태어났다. 그의 아버지는 브레슬라우 대학의 배아학 교수였다. 브레슬라우에 있는 쾨니히-빌헬름 김나지움에서 처음 교육을 받은 보른은 1901년에 브레슬라우 대학교에 입학했다. 독일의 대학 시스템은 학생들이 한 학교에서 다른 학교로 쉽게 이동하도록 허용했기 때문에 그는 하이델베르크 대학과 괴팅겐 대학에서도 강의를 들을 수 있었다.

괴팅겐 대학에서 보른은 힐베르트(David Hilbert) 교수에게 수학을 배웠다. 보른의 재능을 알아챈 힐베르트는 그를 강의 서기로 임명했다. 그의 역할은 수업 노트를 작성하는 일이었다. 수학에 빼어났던 보른은 1906년 우등으로 수학 박사 학위를 받았다.

학위를 취득하자마자 보른은 연기했던 군 복무를 수행해야 했다. 그는 독일군에 징집되어 베를린에 주둔한 제2 근위 용병대에 배치되었다. 1907년 1월 천식 발작으로 잠시 휴가를 얻은 보른은 영국으로 건너가 케임브리지의 곤빌 앤드 카이우스 칼리지에 입학했고, 캐번디시 연구소에서 6개월 동안 물리학을 공부했다. 독일로 돌아온 후 육군은 보른을 재입대시켰고, 그는 단 6주 복무 후 병역을 마쳤다.

1913년 말까지 보른은 상대성이론과 결정격자의 동역학에 관한 중요한 연구를 포함하여 논문 27편을 발표했다. 1919년 4월에는 프랑크푸르트암마인 대학의 이론 물리학 연구소장 겸 교수가 되었다.

물리군 보른은 하이젠베르크의 논문을 읽고 어떤 생각을 했죠?

정교수 보른과 요르단은 하이젠베르크의 논문에서 위치와 속도에 주목했어. 지금부터 그들의 이론을 설명하겠네.

전자가 레벨 n에서 $n-\alpha$로 이동했다가 다시 레벨 n으로 오는 경우를 살펴보자. 이 과정을 식으로 나타내면

$$\hat{x}(n,t)\frac{d}{dt}\hat{x}(n,t) = \sum_{\alpha=-\infty}^{\infty} X(n, n-\alpha)[iw(n-\alpha, n)X(n-\alpha, n)] \tag{4-6-1}$$

이고,

$$\left(\frac{d}{dt}\hat{x}(n,t)\right)\hat{x}(n,t) = \sum_{\alpha=-\infty}^{\infty}[iw(n, n-\alpha)X(n, n-\alpha)]X(n-\alpha, n) \tag{4-6-2}$$

이다. 식 (4-6-1)을 다음과 같이 다시 쓸 수 있다.

$$\hat{x}(n,t)\frac{d}{dt}\hat{x}(n,t) = \sum_{\alpha=1}^{\infty} X(n, n-\alpha)[iw(n-\alpha, n)X(n-\alpha, n)] + \sum_{\alpha=-1}^{-\infty} X(n, n-\alpha)[iw(n-\alpha, n)X(n-\alpha, n)] \quad (4\text{-}6\text{-}3)$$

여기에서 우리는 $w(n, n) = 0$을 이용했다. 우변의 두 번째 식에서 α를 $-\alpha$로 바꾸면

$$\sum_{\alpha=-1}^{-\infty} X(n, n-\alpha)[iw(n-\alpha, n)X(n-\alpha, n)] = \sum_{\alpha=1}^{\infty} X(n, n+\alpha)[iw(n+\alpha, n)X(n+\alpha, n)] \quad (4\text{-}6\text{-}4)$$

이 된다. 따라서

$$\hat{x}(n,t)\frac{d}{dt}\hat{x}(n,t) = \sum_{\alpha=1}^{\infty} X(n, n-\alpha)[iw(n-\alpha, n)X(n-\alpha, n)] + \sum_{\alpha=1}^{\infty} X(n, n+\alpha)[iw(n+\alpha, n)X(n+\alpha, n)] \quad (4\text{-}6\text{-}5)$$

이다. 식 (4-6-2)도 마찬가지로

$$\left(\frac{d}{dt}\hat{x}(n,t)\right)\hat{x}(n,t) = \sum_{\alpha=1}^{\infty}[iw(n,n-\alpha)X(n,n-\alpha)]X(n-\alpha,n)$$

$$+\sum_{\alpha=1}^{\infty}[iw(n,n+\alpha)X(n,n+\alpha)]X(n+\alpha,n)$$

(4–6–6)

이 된다. 보른과 요르단은 다음 양을 계산했다.

$$\hat{x}(n,t)\frac{d}{dt}\hat{x}(n,t)-\left(\frac{d}{dt}\hat{x}(n,t)\right)\hat{x}(n,t)$$

$$=\sum_{\alpha=1}^{\infty}X(n,n-\alpha)[iw(n-\alpha,n)X(n-\alpha,n)]$$

$$+\sum_{\alpha=1}^{\infty}X(n,n+\alpha)[iw(n+\alpha,n)X(n+\alpha,n)]$$

$$-\sum_{\alpha=1}^{\infty}[iw(n,n-\alpha)X(n,n-\alpha)]X(n-\alpha,n)$$

$$-\sum_{\alpha=1}^{\infty}[iw(n,n+\alpha)X(n,n+\alpha)]X(n+\alpha,n)$$

$$=i\sum_{\alpha=1}^{\infty}[w(n-\alpha,n)-w(n,n-\alpha)]X(n,n-\alpha)X(n-\alpha,n)$$

$$+i\sum_{\alpha=1}^{\infty}[w(n+\alpha,n)-w(n,n+\alpha)]X(n,n+\alpha)X(n+\alpha,n)$$ (4–6–7)

여기서

$$w(n-\alpha, n) = -w(n, n-\alpha)$$
$$w(n, n+\alpha) = -w(n+\alpha, n)$$

을 이용하면

$$\hat{x}(n, t)\frac{d}{dt}\hat{x}(n, t) - \left(\frac{d}{dt}\hat{x}(n, t)\right)\hat{x}(n, t)$$

$$= 2i\sum_{\alpha=1}^{\infty}[w(n+\alpha, n)X(n, n+\alpha)X(n+\alpha, n) - w(n, n-\alpha)X(n, n-\alpha)X(n-\alpha, n)] \quad (4\text{–}6\text{–}8)$$

이 된다. 이 식에서

$$X(n, n+\alpha) = X(n+\alpha, n)^*$$
$$X(n-\alpha, n) = X(n, n-\alpha)^*$$

를 이용하면

$$\hat{x}(n, t)\frac{d}{dt}\hat{x}(n, t) - \left(\frac{d}{dt}\hat{x}(n, t)\right)\hat{x}(n, t)$$

$$= 2i\sum_{\alpha=1}^{\infty}\left[w(n+\alpha, n)|X(n+\alpha, n)|^2 - w(n, n-\alpha)|X(n, n-\alpha)|^2\right] \quad (4\text{–}6\text{–}9)$$

이 된다. 하이젠베르크의 논문에 나오는 식 (4–4–24)를 이용하면

$$\hat{x}(n,t)\frac{d}{dt}\hat{x}(n,t)-\left(\frac{d}{dt}\hat{x}(n,t)\right)\hat{x}(n,t)=\frac{i\hbar}{m} \tag{4-6-10}$$

이다. 한편 운동량은

$$\hat{p}(n,t)=m\frac{d}{dt}\hat{x}(n,t)$$

이므로 식 (4-6-10)을 위치와 운동량으로 바꾸어 쓰면,

$$\hat{x}(n,t)\hat{p}(n,t)-\hat{p}(n,t)\hat{x}(n,t)=i\hbar$$

가 된다. 이것이 바로 보른과 요르단이 발견한 불확정성원리 관계식이다.

물리군　$\hat{x}$와 $\hat{p}$가 교환법칙을 만족하지 않는군요.

정교수　맞아. 그러니까 $\hat{x}$와 $\hat{p}$는 절대로 수가 될 수 없어. 보른과 요르단은 이들이 행렬이 되어야 한다고 생각했지.

물리군　행렬은 교환법칙이 성립하지 않기 때문이죠?

정교수　바로 그걸세.

다섯 번째 만남

•

해석역학의 역사

오일러의 변분법_두 점 사이의 최단 경로

정교수 이번 강의는 수학 내용이 조금 많아질 걸세.

물리군 고등학교 수학이라면 괜찮아요.

정교수 그보다 수준은 약간 높지만 그 정도만 알면 이해할 수 있도록 친절하게 설명해 보겠네.

수학양 어떤 주제인데 뜸을 들이세요?

정교수 바로 변분법에 관한 이야기야. 영어로는 calculus of variations 라고 하는데 수학자 오일러가 발견한 아름다운 수학이지.

오일러(Leonhard Euler, 1707~1783)

오일러는 1707년 스위스의 바젤에서 태어났다. 그의 아버지는 목사였는데, 부모님은 그가 부친의 뒤를 이어 목사가 되기를 원했다.

어릴 때부터 수학에 천부적인 재능을 보인 오일러는 13세 때 바젤

대학 철학과에 입학했지만 틈틈이 수학 연구를 계속했다. 그는 유명한 수학자 요한 베르누이에게 수학을 배웠다.

1723년 오일러는 데카르트와 뉴턴의 철학을 비교한 논문으로 철학 석사 학위를 받았다. 1726년에는 소리의 전파에 관한 논문을 발표했다. 그는 평생 560편의 논문을 썼는데 그 내용은 수학, 역학, 천문학에 관한 것이었다.

1727년 오일러는 처음으로 파리 아카데미 대회에 참가했다. 그해의 문제는 배에 돛대를 배치하는 가장 좋은 방법을 찾는 것이었는데, 그는 첫 참가에서 2등을 차지했다. 그 후 이 대회에 15번 참가하여 12번이나 우승을 거머쥐었다.

오일러는 계산을 하기 위해 태어났다고 할 정도로 천재 수학자였다. 그가 얼마나 계산의 천재였는지 알려주는 일화가 있다. 오일러가 28세 때 어떤 천문학 문제에 현상금이 걸렸다. 수많은 수학자가 이 문제에 뛰어들었지만 몇 달 동안 아무도 해결하지 못했다. 하지만 오일러는 문제를 처음 접하고 삼 일 만에 정답을 내놓아 세상을 깜짝 놀라게 했다.

1727년 오일러는 러시아의 상트페테르부르크 대학으로 갔다. 거기서 유체역학의 베르누이 방정식으로 유명한 다니엘 베르누이와 친하게 지내면서 수학 연구에 몰두했다. 1741년 그는 프리드리히 대왕의 초청을 받아 베를린 아카데미로 적을 옮겼다. 그리고 1766년에 러시아로 되돌아갔다.

하루 종일 연구만 하던 오일러는 오른쪽 눈의 시력을 잃고도 계속 연구에 매진하다가 백내장으로 다른 눈까지 못 보게 되었다. 그래서 1766년부터 세상을 떠날 때까지 약 17년을 맹인으로 살았다. 실명 후에도 오일러는 연구를 멈추지 않았다. 그는 계산이 필요한 부분은 모두 암산으로 처리해 시력을 잃기 전보다 더 많은 논문을 발표했다.

물리군　진정한 인간 승리네요. 그런데 오일러의 변분법은 뭐죠?

정교수　변분법을 다루기 전에 알아야 하는 것들이 있어. 조금 천천히 가볼까?

먼저 함수 $y = f(x)$를 생각하자. 이 함수는 변수를 1개(x) 가지고 있다. 이렇게 변수가 1개인 함수를 일변수함수라고 한다. 일변수함수는 다음과 같이 곡선을 만든다. 다음 그림은 일변수함수 $y = x^3 + 2x - 6$의 그래프이다.

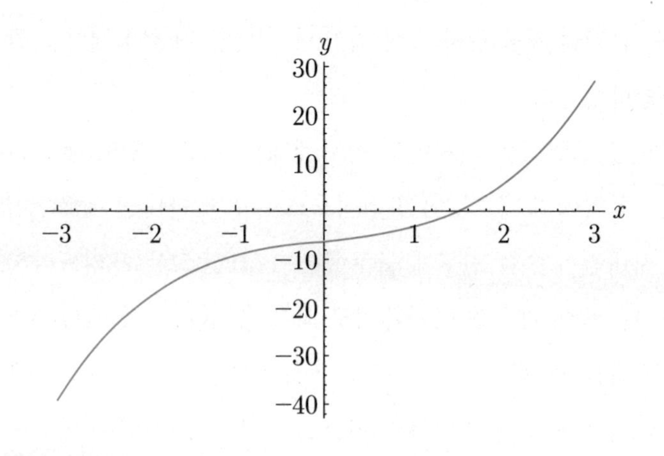

수학양　그 정도는 알고 있어요.

정교수　좋아. 이번에는 이변수함수에 대해 얘기해 보겠네.

함수 $z = f(x, y)$를 보자. 이 함수는 변수를 2개(x와 y) 가지고 있다. 이렇게 변수가 2개인 함수를 이변수함수라고 한다. 이때 두 변수는 서로 영향을 받지 않고 값을 선택할 수 있는데, 이를 두 변수가 서로 독립이라고 말한다. 즉, 이변수함수는 두 개의 독립변수 x, y를 가진다. 다음 그림은 이변수함수 $z = x^3y + xy^5$의 그래프이다.

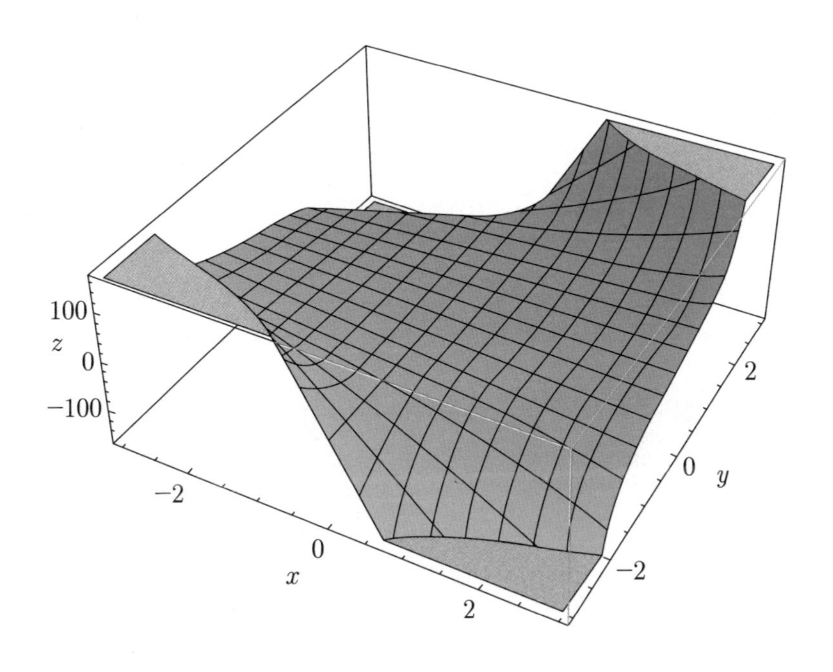

물리군　이변수함수는 곡면을 나타내는군요.

정교수 맞아. 그럼 다음 단계로 넘어가세.

이변수함수는 변수가 x, y 두 개이므로 x에 대한 미분과 y에 대한 미분을 정의해야 한다. 이때 똑같이 미분이라고 표현하면 일변수함수의 미분과 구분되지 않는다. 따라서 이변수함수에서는 x에 대한 미분을 x에 대한 편미분, y에 대한 미분을 y에 대한 편미분이라고 한다.

이변수함수 $z = f(x, y)$의 x에 대한 편미분을 미분 기호와 비슷하게

$$\frac{\partial z}{\partial x} = \frac{\partial f}{\partial x}$$

로 쓰고, y에 대한 편미분은

$$\frac{\partial z}{\partial y} = \frac{\partial f}{\partial y}$$

로 쓴다.

수학양 편미분도 극한으로 정의하나요?

정교수 물론이야.

이변수함수 $z = f(x, y)$의 x에 대한 편미분은

$$\frac{\partial z}{\partial x} = \frac{\partial f}{\partial x} = \lim_{h \to 0} \frac{f(x+h, y) - f(x, y)}{h}$$

이다. 분자를 보면 y는 그대로이고, x쪽만 달라진 것을 알 수 있다. 마찬가지로 y에 대한 편미분은

$$\frac{\partial z}{\partial y} = \frac{\partial f}{\partial y} = \lim_{k \to 0} \frac{f(x, y+k) - f(x, y)}{k}$$

이다. 분자에서 x는 그대로이고, y쪽만 달라졌다.

물리군 x로 편미분할 때는 y를 문자가 아니라 숫자처럼 취급하면 되겠네요.

정교수 좋은 생각이야. 예를 들면 y^2x^3에 대해

$$\frac{\partial}{\partial x}(y^2 x^3) = y^2 \frac{\partial}{\partial x}(x^3) = y^2 \times 3x^2 = 3x^2 y^2$$

이 되지.

수학양 제가 미분은 자신 있으니까 편미분도 할 수 있을 것 같아요.

정교수 여기서 필요한 내용이 하나 더 있다네.

이변수함수 $f(x, y)$에서 $x = x(t)$, $y = y(t)$로 주어진 경우를 생각하자. 이때 t를 매개변수라고 하며 다음 연쇄 규칙이 성립한다.

$$\frac{df}{dt} = \frac{\partial f}{\partial x}\frac{dx}{dt} + \frac{\partial f}{\partial y}\frac{dy}{dt} \tag{5-1-1}$$

이것을 증명해 보자.

$$\frac{df}{dt} = \lim_{h \to 0} \frac{f(x(t+h), y(t+h)) - f(x(t), y(t))}{h}$$

$$= \lim_{h \to 0} \frac{f(x(t+h), y(t+h)) - f(x(t), y(t+h)) + f(x(t), y(t+h)) - f(x(t), y(t))}{h}$$

$$= \lim_{h \to 0} \frac{f(x(t+h), y(t+h)) - f(x(t), y(t+h))}{h}$$

$$+ \lim_{h \to 0} \frac{f(x(t), y(t+h)) - f(x(t), y(t))}{h}$$

$$= \lim_{h \to 0} \frac{f(x(t+h), y(t+h)) - f(x(t), y(t+h))}{x(t+h) - x(t)} \cdot \frac{x(t+h) - x(t)}{h}$$

$$+ \lim_{h \to 0} \frac{f(x(t), y(t+h)) - f(x(t), y(t))}{y(t+h) - y(t)} \cdot \frac{y(t+h) - y(t)}{h}$$

$$= \frac{\partial f}{\partial x}\frac{dx}{dt} + \frac{\partial f}{\partial y}\frac{dy}{dt}$$

물리군 미분의 연쇄 규칙 증명 과정과 비슷하네요.

정교수 그렇지. 이제 변분법으로 들어갈 준비는 끝났어. 여기서 문제를 하나 낼게. 두 점 사이를 최단 거리로 움직이려면 어떻게 가야 할까?

수학양 그야 두 점을 잇는 직선을 따라가면 되죠.

정교수 바로 그거야. 그걸 염두에 두고 다음 그림을 보며 이야기해 보세.

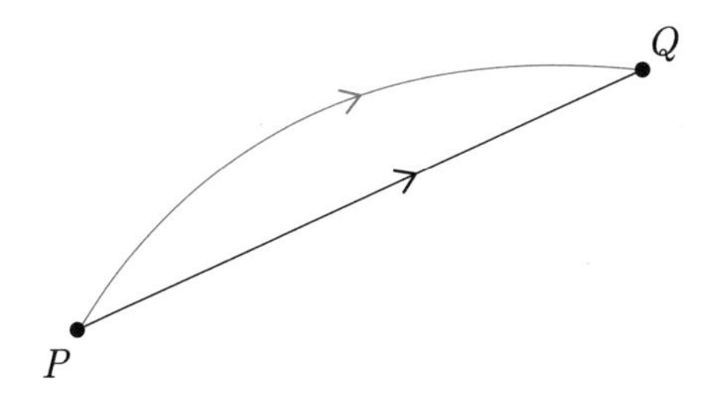

그림과 같이 점 P에서 점 Q로 가는 두 경로가 있다. 둘 중에서 최단 거리는 직선 경로이다. 두 경로를 다음 그림처럼 좌표평면에 나타내자. 이때 직선 경로를 $y(x)$, 곡선 경로를 $Y(x)$라고 하자.

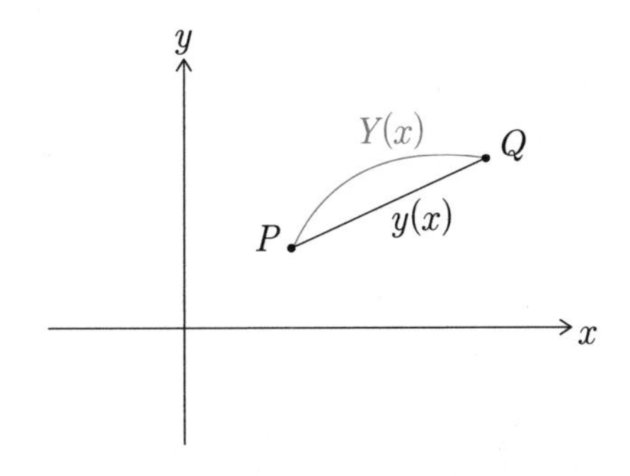

각각의 경로를 따라가는 동안 그 길이를 구해서 어느 쪽이 큰지를 비교해 최단 경로를 찾을 수 있다. 일반적으로는 두 점을 잇는 임의의 곡선 경로를 따라갈 때 그 길이가 최솟값이 되도록 하는 경로를 찾아 그 답이 직선임을 보이면 된다. 즉, 최단 경로로부터 다양하게 변화된 경로 중에서 최솟값을 찾는 문제이다.

오일러는 두 점 사이의 최단 경로가 직선이라는 당연한 사실을 증명하고 싶었다. 그는 1733년 다음과 같은 임의의 적분을 생각했다.

$$I = \int_a^b F(y, y')\,dx \tag{5-1-2}$$

여기서 $y' = \frac{dy}{dx}$이고 y는 x의 함수이다. 그러므로 $y(x)$는 어떤 그래프를 나타낸다. 오일러는 y와 y'을 독립변수로 택했다. 즉, $F(y, y')$은 이변수함수이다. I가 $x = a$부터 $x = b$까지의 적분이므로 곡선의 양 끝점을 P, Q라고 하면

$$P(a, y(a)), Q(b, y(b))$$

가 된다. 예를 들어 다음 그림을 보자.

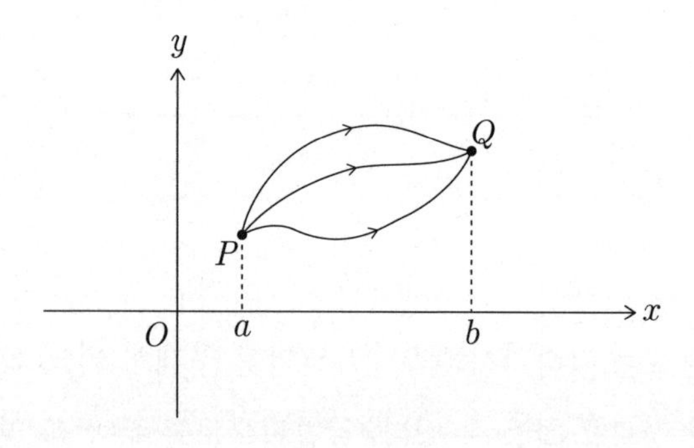

그림에 보이는 세 개의 곡선은 두 점 P, Q를 연결한다. 이런 식으로 두 점을 잇는 곡선은 무수히 많이 생긴다. 오일러는 수많은 경우

중에서 I가 극값을 가지게 하는 곡선을 찾는 방법을 고민했다.

물리군 $y = f(x)$의 극값을 구하기 위해서는 $y' = f'(x) = 0$이 되는 x의 값을 구해야 한다고 고등학교 수학 시간에 배웠어요.

정교수 바로 그 방법을 사용할 거야. 오일러는 두 점을 연결하는 임의의 경로로

$$Y(x) = y(x) + t\eta(x) \tag{5-1-3}$$

를 선택했어. 여기서 $y(x)$는 I가 극값을 가질 때의 경로를 나타내는 곡선이고 t는 변수, $\eta(x)$는 임의의 함수라네. 그러니까 $Y(x)$는 I가 극값을 가질 때의 경로에 어떤 변화를 주는 양 $t\eta(x)$를 더한 값이지.

수학양 $t = 0$이면 $Y = y$가 되네요.

정교수 아주 중요한 발견을 했어. 그걸 꼭 기억해 두게.

오일러는 다음과 같은 적분을 생각했다.

$$I(t) = \int_a^b F(Y, Y')\,dx \tag{5-1-4}$$

이 적분은 t에 따라서 변한다. 즉, 두 점을 잇는 모든 경로에 따라 달라진다. 오일러는 $I(t)$가 $t = 0$일 때 극값을 가지며, 그 값은 I가 되어야 한다고 생각했다. 이것은 극값 조건

$$\left.\frac{dI(t)}{dt}\right|_{t=0} = 0 \tag{5-1-5}$$

을 의미한다. 식 (5-1-3)으로부터

$$\frac{dY}{dt} = \eta(x)$$

$$\frac{dY'}{dt} = \eta'(x) \tag{5-1-6}$$

이다. 한편 모든 곡선 Y는 양 끝점이 y와 일치해야 하므로

$$Y(a) = y(a),\ Y(b) = y(b)$$

이다. 이것은

$$\eta(a) = \eta(b) = 0 \tag{5-1-7}$$

을 의미한다.

미분의 연쇄 규칙 (5-1-1)을 이용하면 다음과 같다.

$$\frac{dI(t)}{dt} = \int_a^b \frac{dF(Y, Y')}{dt} dx$$

$$= \int_a^b \left[\frac{\partial F(Y, Y')}{\partial Y} \frac{dY}{dt} + \frac{\partial F(Y, Y')}{\partial Y'} \frac{dY'}{dt} \right] dx$$

$$= \int_a^b \left[\frac{\partial F(Y, Y')}{\partial Y} \eta(x) + \frac{\partial F(Y, Y')}{\partial Y'} \eta'(x) \right] dx \tag{5-1-8}$$

$t=0$일 때 $Y=y$이므로 $\left.\frac{dI(t)}{dt}\right|_{t=0}=0$은

$$\int_a^b\left[\frac{\partial F(y, y')}{\partial y}\eta(x)+\frac{\partial F(y, y')}{\partial y'}\eta'(x)\right]dx=0 \tag{5-1-9}$$

이 된다. 부분적분을 이용하면

$$\int_a^b \frac{\partial F(y, y')}{\partial y'}\eta'(x)\,dx$$

$$=\left[\frac{\partial F(y, y')}{\partial y'}\eta(x)\right]_a^b-\int_a^b\frac{d}{dx}\left(\frac{\partial F(y, y')}{\partial y'}\right)\eta(x)\,dx \tag{5-1-10}$$

이다. 식 (5-1-7)을 이용하면

$$\left[\frac{\partial F(y, y')}{\partial y'}\eta(x)\right]_a^b=0$$

이므로 식 (5-1-9)는

$$\int_a^b\left[\frac{\partial F(y, y')}{\partial y}-\frac{d}{dx}\left(\frac{\partial F(y, y')}{\partial y'}\right)\right]\eta(x)\,dx=0 \tag{5-1-11}$$

이 된다. 이 식이 모든 $\eta(x)$에 대해 성립해야 하므로

$$\frac{\partial F(y, y')}{\partial y}-\frac{d}{dx}\left(\frac{\partial F(y, y')}{\partial y'}\right)=0 \tag{5-1-12}$$

이다. 이것은 I가 극값을 가질 때 $y(x)$가 만족하는 식이다. 이를 오일러 방정식이라고 한다.

오일러 방정식으로 결정된 $y(x)$($t=0$인 경우)에 의해

$$\left.\frac{d^2I(t)}{dt^2}\right|_{t=0} > 0$$

이면 I는 극솟값을 갖고,

$$\left.\frac{d^2I(t)}{dt^2}\right|_{t=0} < 0$$

이면 I는 극댓값을 갖는다.

$$\frac{d}{dt}\left(\frac{\partial F(Y,Y')}{\partial Y}\right) = \frac{\partial}{\partial Y}\left(\frac{\partial F(Y,Y')}{\partial Y}\right)\frac{dY}{dt} + \frac{\partial}{\partial Y'}\left(\frac{\partial F(Y,Y')}{\partial Y}\right)\frac{dY'}{dt}$$

$$= \frac{\partial}{\partial Y}\left(\frac{\partial F(Y,Y')}{\partial Y}\right)\eta(x) + \frac{\partial}{\partial Y'}\left(\frac{\partial F(Y,Y')}{\partial Y}\right)\eta'(x)$$

이고,

$$\frac{d}{dt}\left(\frac{\partial F(Y,Y')}{\partial Y'}\right) = \frac{\partial}{\partial Y}\left(\frac{\partial F(Y,Y')}{\partial Y'}\right)\frac{dY}{dt} + \frac{\partial}{\partial Y'}\left(\frac{\partial F(Y,Y')}{\partial Y'}\right)\frac{dY'}{dt}$$

$$= \frac{\partial}{\partial Y}\left(\frac{\partial F(Y,Y')}{\partial Y'}\right)\eta(x) + \frac{\partial}{\partial Y'}\left(\frac{\partial F(Y,Y')}{\partial Y'}\right)\eta'(x)$$

이므로

$$\left.\frac{d^2I(t)}{dt^2}\right|_{t=0}$$

$$= \int_a^b \left[\frac{\partial^2 F(y,y')}{\partial y^2}\eta(x)^2 + 2\frac{\partial^2 F(y,y')}{\partial y \partial y'}\eta(x)\eta'(x) + \frac{\partial^2 F(y,y')}{\partial y'^2}\eta'(x)^2 \right] dx \tag{5-1-13}$$

가 된다.

물리군 오일러 방정식은 처음 봤어요. 이걸 이용해 풀 수 있는 간단한 문제 하나만 소개해 주세요.

정교수 그럴까? 두 점을 잇는 거리를 최소로 만드는 곡선은 뭐지?

수학양 두 점을 잇는 직선[15]이죠.

정교수 그것을 오일러 방정식으로 증명할 수 있어.

다음 그림을 보자.

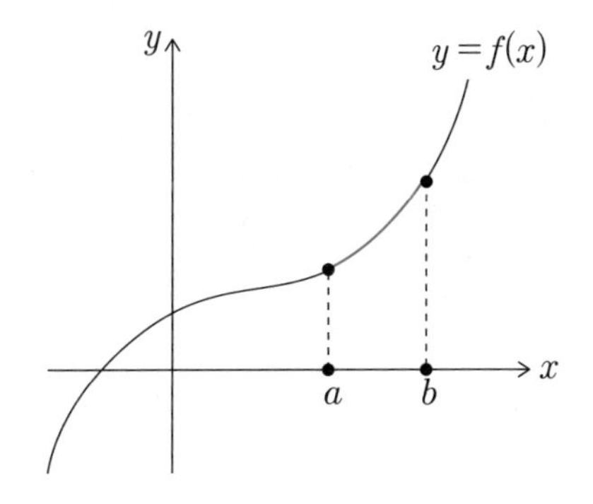

15) 고등학교 수학에서는 직선과 곡선을 구별하지만, 일반적으로 수학에서는 직선을 곡선의 특수한 경우로 본다.

이 그래프는 함수 $y=f(x)$를 나타낸다. 이제 $x=a$에서 $x=b$까지에 대응하는 곡선의 길이를 구하려고 한다. 다음 그림을 보자.

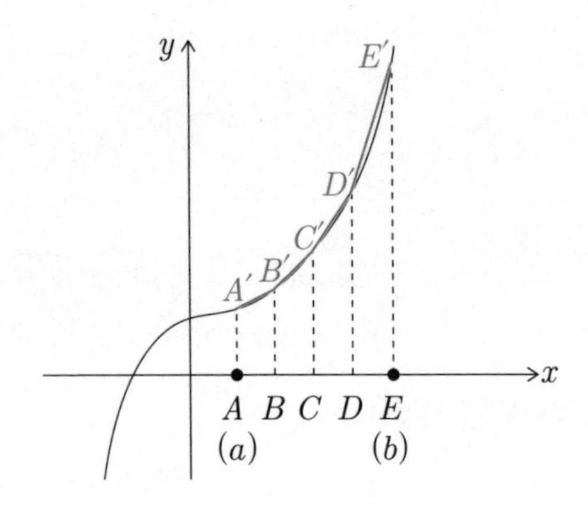

x축 위에서 $x=a$에 대응하는 점은 A, $x=b$에 대응하는 점은 E이다. 여기서 B, C, D는 선분 AE를 4등분한 점이다. 그리고 x축 위의 다섯 개의 점에 대응하는 $y=f(x)$ 위의 점을 A', B', C', D', E'으로 놓았다. 이때 A'에서 E'까지의 거리가 우리가 구하려는 곡선의 길이이다.

이제 선분 $A'B'$, $B'C'$, $C'D'$, $D'E'$의 길이를 생각해 보자. 점 A'에서 점 E'까지 곡선의 길이는 선분 $A'B'$, $B'C'$, $C'D'$, $D'E'$의 길이를 모두 더한 것과 비슷함을 알 수 있다. 물론 비슷하기는 해도 똑같지는 않다. 그런데 선분 AE를 100등분, 1000등분, 10000등분, 이런 식으로 무한히 잘게 쪼개면 어떻게 될까? 각 등분된 점에 대응하는 그래프 위의 점들을 선분으로 연결하면, 이 길이의 합이 곡선의 길이와 거의 같아진다. 그러므로 선분 AE를 무한히 잘게 등분하는 극한을 생각하여 곡선의 길이를 정의한다. 다음 그림을 보자.

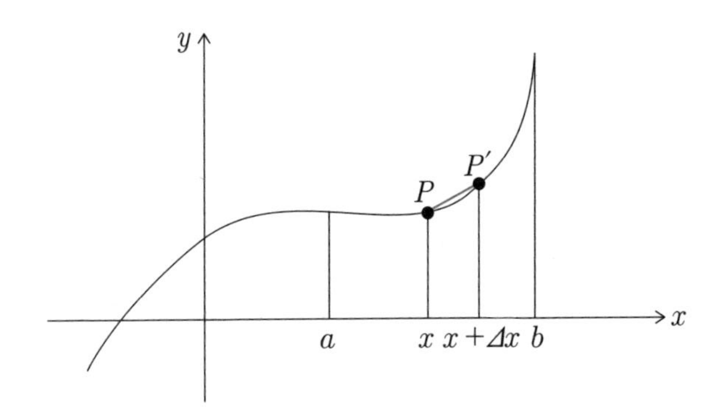

x축 위의 임의의 점 x와 $x + \Delta x$에 대하여 이 두 점에 대응하는 $y = f(x)$ 위의 점을 각각 P, P'이라고 하자. 점 P의 y좌표는 $f(x)$이고, 점 P'의 y좌표는 $f(x + \Delta x)$이다. Δx가 아주 작을 때, 점 P와 P'사이의 곡선의 길이는 선분 PP'의 길이와 거의 비슷해진다. 이제 선분 PP'의 길이를 구해 보자.

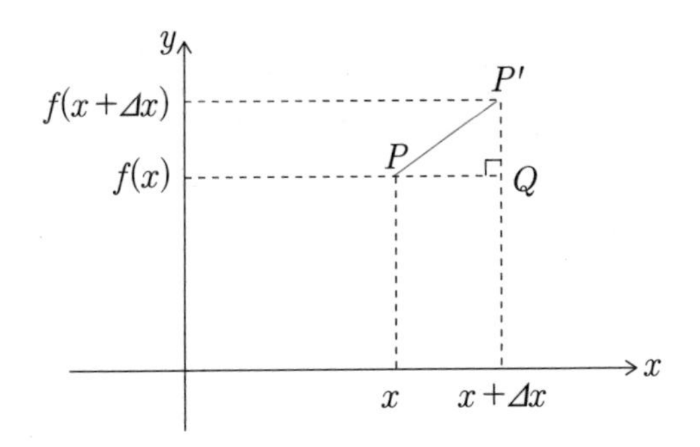

직각삼각형 $P'PQ$를 다시 그려 보겠다. 그리고 선분 PP'의 길이를 Δs라고 하자.

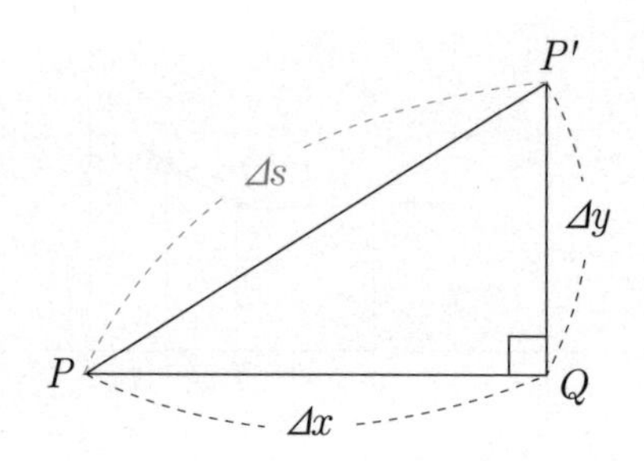

피타고라스 정리를 쓰면

$$\Delta s^2 = \Delta x^2 + \Delta y^2$$

이 된다. 여기서

$$\Delta y = f(x + \Delta x) - f(x)$$

이다. 이제 극한을 사용하여 Δx를 0으로 보내겠다. 이 극한을 dx라고 한다. Δx가 0에 가까워지면 Δy도 0에 가까워지는데, 이 극한을 dy라고 하자. 이 극한에서 Δs도 0에 가까워지는데 이 극한을 ds라 하고 길이 요소라고 부르자.

즉, 길이 요소는

$$ds = \sqrt{dx^2 + dy^2}$$

이 된다. 길이 요소를 모두 더하는 게 적분이므로 곡선의 길이는

$$L = \int_{x=a}^{b} ds = \int_{x=a}^{b} \sqrt{dx^2 + dy^2} \qquad (5\text{–}1\text{–}14)$$

이다. 한편

$$\Delta y = f(x + \Delta x) - f(x)$$

에서 테일러 전개를 쓰면

$$\Delta y \approx f(x) + \Delta x f'(x) - f(x) = \Delta x f'(x)$$

이므로

$$dy = f'(x) dx$$

가 된다. 따라서 곡선의 길이는

$$L = \int_{x=a}^{b} \sqrt{1 + \{f'(x)\}^2}\, dx$$

또는

$$L = \int_{x=a}^{b} \sqrt{1 + \{y'(x)\}^2}\, dx \qquad (5\text{–}1\text{–}15)$$

이다. 이것과 식 (5-1-2)를 비교하면

$$F(y, y') = \sqrt{1 + y'^2}$$

이 된다. 한편

$$\frac{\partial F}{\partial y} = 0$$

$$\frac{\partial F}{\partial y'} = \frac{y'}{\sqrt{1 + y'^2}}$$

이므로 오일러 방정식은

$$\frac{d}{dx}\left(\frac{y'}{\sqrt{1 + y'^2}}\right) = 0$$

이다. 이것은

$$\frac{y'}{\sqrt{1 + y'^2}} = (\text{상수})$$

를 의미한다. 그러므로

$$y' = (\text{상수}) = m$$

이다. 따라서

$$y = mx + n$$

으로 직선의 방정식이 된다. 즉, 두 점을 잇는 곡선이 직선일 때 I는 극값을 갖는다. 이 극값이 극솟값인지 극댓값인지 알기 위해서는 $\left.\frac{d^2I(t)}{dt^2}\right|_{t=0}$ 의 부호를 조사해야 한다. $y = mx + n$일 때,

$$\frac{\partial^2 F}{\partial y'^2} = \frac{1}{(\sqrt{1+y'^2})^3} = \frac{1}{(\sqrt{1+m^2})^3}$$

$$\frac{\partial^2 F}{\partial y^2} = 0$$

$$\frac{\partial^2 F}{\partial y \partial y'} = 0$$

이므로

$$\left.\frac{d^2I(t)}{dt^2}\right|_{t=0} = \int_a^b \frac{1}{(\sqrt{1+m^2})^3} \eta'^2 dx > 0$$

이다. 즉, I는 $y = mx + n$일 때 극솟값을 갖는다. 극솟값이 하나이므로 이것이 바로 최솟값이다. 따라서 두 점을 잇는 경로 중에서 그 거리가 최소인 것은 두 점을 잇는 직선이다.

물리군　오일러의 변분법은 정말 환상적인 수학이네요.

라그랑주의 해석역학_변분법을 역학에 적용하다

정교수 지금부터는 해석역학의 창시자인 라그랑주에 관한 이야기를 하려고 해.

라그랑주(Joseph Louis Lagrange, 1736~1813)

라그랑주는 이탈리아 토리노에서 태어났다. 그의 증조부는 프랑스인이었지만 부모는 이탈리아인이었다. 그래서 그는 이탈리아와 프랑스의 과학자로 여겨진다. 유복하게 태어난 그는 어릴 때 아버지가 투기로 대부분의 재산을 잃어 경제적으로 어려움을 겪었다.

라그랑주의 아버지는 그가 법을 공부하기를 바랐다. 하지만 라그랑주는 17세 때 우연히 발견한 에드먼드 핼리의 논문을 읽고 수학에 흥미를 갖게 되어 혼자서 수학 공부를 했다. 그 후 토리노 대학교에서 물리학과 수학을 배웠다.

19세의 라그랑주는 오일러의 변분법에 관심을 가졌다. 1755년 8월 12일, 그는 오일러에게 완전히 새로운 해석적인 방법을 이용해 변분법을 만들 수 있다는 요약문을 보냈다. 이후 변분법은 오일러와 라그랑주에 의해 완성되었다.

라그랑주는 프랑스 혁명에서 살아남아 1794년 에콜 폴리테크니크 개교와 동시에 첫 번째 해석학 교수가 되었다. 1799년에는 상원의원으로 선출되었으며, 1803년 나폴레옹은 그에게 레지옹 도뇌르 훈장을 수여하고 1808년 그를 제국의 백작으로 임명했다. 그는 사망 후 판테온에 묻혔으며 그의 이름은 72인 중 한 명으로 에펠탑에 새겨졌다.

수학양 변분법이 두 사람의 공동 작품이군요.

정교수 오일러가 먼저 변분법의 아이디어를 낸 것은 사실이지. 하지만 라그랑주는 변분법을 역학에 적용하는 방법을 찾아냈네.

물리군 그건 무슨 말이죠?

정교수 라그랑주는 뉴턴 역학을 다시 들여다보았어.

뉴턴의 운동방정식은 질량 m인 물체에 힘 F가 작용하면 가속도 a가 생기며

$$F = ma \tag{5-2-1}$$

를 따른다는 것이다. 여기서 가속도 a는 속도 v의 미분으로

$$a = \frac{dv}{dt} \tag{5-2-2}$$

이고, v는 일차원에서 위치를 나타내는 x의 시간에 대한 미분으로

$$v = \frac{dx}{dt} \tag{5-2-3}$$

이다. 질량 m인 물체에 힘 F가 작용해 물체의 위치가 1에서 2로 변했을 때, 이 힘이 한 일을 A라고 하면

$$A = \int_1^2 F dx \tag{5-2-4}$$

가 된다. 여기에 식 (5-2-1)과 (5-2-2)를 넣으면 다음과 같다.

$$A = \int_1^2 m \frac{dv}{dt} dx = \int_1^2 m \frac{dv}{dt} \frac{dx}{dt} dt = \int_1^2 m \frac{dv}{dt} v dt$$

한편 미분의 연쇄 규칙

$$\frac{d}{dt}(v^2) = 2v \frac{dv}{dt}$$

를 이용하면

$$A = \int_1^2 \frac{d}{dt}\left(\frac{1}{2} m v^2\right) dt \tag{5-2-5}$$

가 된다. 여기서 운동에너지를

$$T = \frac{1}{2}mv^2 \qquad (5\text{-}2\text{-}6)$$

이라고 하면

$$A = T_2 - T_1 \qquad (5\text{-}2\text{-}7)$$

이다. 이때 T_1, T_2는 각각 물체가 1에 있을 때와 2에 있을 때의 운동에너지이다.

만일 주어진 F를

$$F = -\frac{dV}{dx} \qquad (5\text{-}2\text{-}8)$$

의 꼴로 표현할 수 있으면, V를 퍼텐셜에너지라고 한다. 퍼텐셜에너지로 일을 나타내면

$$A = \int_1^2 \left(-\frac{dV}{dx}\right)dx = -(V_2 - V_1) \qquad (5\text{-}2\text{-}9)$$

이다. 식 (5-2-7)과 (5-2-9)로부터

$$T_2 - T_1 = -(V_2 - V_1)$$

또는

$$T_2 + V_2 = T_1 + V_1 \qquad (5\text{-}2\text{-}10)$$

이 된다. 이것은 두 지점에서 $T+V$의 값이 같음을 의미한다. 임의의 두 점을 택했으므로 모든 지점에서 $T+V$의 값은 같아진다. 즉, 모든 시각에서 $T+V$의 값이 같은 것을 뜻하는데 이를

$$E=T+V \tag{5-2-11}$$

로 쓰고 역학적 에너지라고 부른다. 만일 힘이 식 (5-2-8)의 꼴이면 역학적 에너지는 매 시각 달라지지 않는다. 이것을 역학적 에너지 보존이라 하고 이때의 힘을 보존력이라고 부른다. 즉, 식 (5-2-8)은 어떤 힘이 보존력이 되는 조건이다.

수학양 변분법과는 별로 관계가 없어 보이는데요?

정교수 과연 그럴까? 이제 보존력에 대한 뉴턴 방정식을 다시 쓰겠네.

$$ma=-\frac{dV}{dx} \tag{5-2-12}$$

라그랑주는 퍼텐셜에너지가 x만의 함수인 경우를 생각했다. 이때

$$\frac{dV}{dx}=\frac{\partial V}{\partial x}$$

가 된다. 그러므로 식 (5-2-12)는

$$m\frac{dv}{dt}=-\frac{\partial V}{\partial x}$$

이다. 라그랑주는 x와 v가 서로 독립이라고 가정했다. 이 경우

$$\frac{\partial v}{\partial x} = 0$$

$$\frac{\partial x}{\partial v} = 0$$

이 된다. 좀 더 일반적으로 임의의 v만의 함수 $F(v)$와 x만의 함수 $G(x)$에 대해

$$\frac{\partial F(v)}{\partial x} = 0$$

$$\frac{\partial G(x)}{\partial v} = 0$$

임을 알아냈다. 한편

$$\frac{\partial}{\partial v}\left(\frac{1}{2}mv^2\right) = mv$$

이므로 식 (5-2-12)는

$$\frac{d}{dt}\frac{\partial}{\partial v}\left(\frac{1}{2}mv^2\right) = -\frac{\partial V}{\partial x}$$

가 된다는 것을 발견했다. 또한

$$\frac{\partial}{\partial v}V(x) = 0$$

$$\frac{\partial}{\partial x}\left(\frac{1}{2}mv^2\right) = 0$$

이므로 식 (5-2-12)는

$$\frac{d}{dt}\frac{\partial}{\partial v}\left(\frac{1}{2}mv^2 - V(x)\right) = \frac{\partial}{\partial x}\left(\frac{1}{2}mv^2 - V(x)\right)$$

가 된다. 이 식에서

$$L = \frac{1}{2}mv^2 - V(x)$$

로 놓으면 식 (5-2-12)는

$$\frac{\partial L}{\partial x} - \frac{d}{dt}\frac{\partial L}{\partial v} = 0 \qquad (5\text{-}2\text{-}13)$$

이 된다. $v = \frac{dx}{dt} = \dot{x}$ 로 나타내면 식 (5-2-13)은

$$\frac{\partial L}{\partial x} - \frac{d}{dt}\frac{\partial L}{\partial \dot{x}} = 0$$

이 되어 오일러 방정식과 완전히 일치한다. 그러므로

$$W = \int_{t_1}^{t_2} L(x, \dot{x})\,dt$$

로 정의하면 보존력에 대한 뉴턴 방정식은 W가 극값을 갖는 조건과 같아진다. 여기서 L을 라그랑지안, W를 작용(action)이라고 한다. 라그랑지안으로부터 운동량 p는 다음과 같이 주어진다.

$$p = mv = \frac{\partial L}{\partial \dot{x}}$$

물리군 그러니까 보존력 F에 대해서는 $F = ma$와

$$\frac{\partial L}{\partial x} - \frac{d}{dt}\frac{\partial L}{\partial \dot{x}} = 0$$

이 완전히 똑같은 거군요.

정교수 그렇지.

해밀턴의 방정식_다른 방식으로 역학을 기술하다

정교수 라그랑주와 다른 방법으로 역학을 설명한 사람은 해밀턴이야. 그의 일생부터 알아보겠네.

해밀턴(Sir William Rowan Hamilton, 1805~1865)

해밀턴은 아일랜드의 더블린에서 태어나 변호사인 아버지 밑에서 자랐다. 그는 어린 나이에 다양한 재능을 나타냈다. 언어 습득에 놀라운 능력을 보였고 암산에도 재주가 있었다.

하지만 8세 때 미국의 암산 천재 콜번(Zerah Colburn, 당시 9세)과의 암산 대결에서 패배한 후, 해밀턴은 언어 공부를 줄이고 수학에 더 많은 시간을 할애했다. 10세 때부터 그는 유클리드, 뉴턴 등의 책을 읽고, 16세에는 해석기하학과 미적분학을 공부했다.

1822년 중반에 해밀턴은 라플라스의 천체역학을 연구했고, 이듬해 7월 더블린 트리니티 대학에 입학했다. 그는 모든 과목에서 1등을 차지해 단기간에 고전과 수학에서 학위를 받았다. 물리학자이자 수학자인 그는 물리학에서 해밀토니안을 정의해 해밀턴 역학 이론을 만들었고, 수학에서는 사원수를 처음 발견한 것으로 이름을 날렸다.

물리군 해밀턴은 어떻게 역학을 새롭게 썼나요?

정교수 라그랑지안은 x와 v의 함수로 주어지네. 해밀턴은 x와 운동량 p로 기술하는 어떤 양을 찾으려고 했어.

해밀턴은 $L(x, v)$의 전미분을 떠올렸다.

$$dL = \frac{\partial L}{\partial x}dx + \frac{\partial L}{\partial v}dv \tag{5-3-1}$$

그리고 다음과 같은 양 H를 생각했다.

$$H = vp - L \tag{5-3-2}$$

H의 전미분을 계산하면 다음과 같다.

$$dH = vdp + pdv - dL$$

$$= vdp + pdv - \frac{\partial L}{\partial x}dx - \frac{\partial L}{\partial v}dv$$

그런데

$$p = \frac{\partial L}{\partial v}$$

이므로

$$dH = vdp - \frac{\partial L}{\partial x}dx \qquad (5\text{-}3\text{-}3)$$

이다. 이것은 H가 x와 p의 함수, 즉 $H(x, p)$임을 의미한다. 이를 해밀토니안이라고 부른다. 한편 전미분의 정의에 의해

$$dH = \frac{\partial H}{\partial x}dx + \frac{\partial H}{\partial p}dp \qquad (5\text{-}3\text{-}4)$$

가 된다. 식 (5–3–3)과 (5–3–4)를 비교하면

$$\frac{\partial H}{\partial x} = -\frac{\partial L}{\partial x}$$

$$\frac{\partial H}{\partial p} = v \qquad (5\text{-}3\text{-}5)$$

를 얻는다. 라그랑주 방정식으로부터

$$\frac{\partial L}{\partial x} = \frac{d}{dt}\frac{\partial L}{\partial \dot{x}} = \frac{dp}{dt}$$

이므로 식 (5–3–5)는 다음과 같이 쓸 수 있다.

$$\frac{dx}{dt} = \frac{\partial H}{\partial p}$$

$$\frac{dp}{dt} = -\frac{\partial H}{\partial x} \qquad (5\text{-}3\text{-}6)$$

이것을 해밀턴의 운동방정식이라고 한다.

수학양　보존력에 대한 뉴턴의 운동방정식은 해밀턴의 운동방정식과 같군요.

정교수　그렇다네. 보존력에 대해서는

(뉴턴 운동방정식) = (라그랑주 방정식) = (해밀턴 운동방정식)

이 되지. 일차원 운동의 경우

$$L = \frac{1}{2}mv^2 - V(x)$$

이고

$$p = mv$$

라네. 그러니까 식 (5-3-2)에 의해 해밀토니안은

$$H = vp - L = \frac{p}{m}p - \left(\frac{p^2}{2m} - V(x)\right) = \frac{p^2}{2m} + V(x) \qquad (5\text{-}3\text{-}7)$$

가 되는 거야.

물리군　해밀토니안은 역학적 에너지군요.

정교수　맞아. 하지만 해밀토니안은 x, p의 함수인 것을 명심하게.

해밀턴-야코비 방정식 _ 작용이 만족하는 방정식

정교수 이제 해석역학의 마지막 주제인 해밀턴-야코비 방정식을 소개할 차례야. 이 방정식은 1820년대에 해밀턴이 처음 생각했고, 그 후 독일의 수학자 야코비(Carl Gustav Jacob Jacobi, 1804~1851)가 완벽한 형태로 기술했지.

다음과 같은 작용을 생각하자.

$$W = \int_0^t L(x, v)\,dt \tag{5-4-1}$$

이 식을 x로 편미분하면

$$\frac{\partial W}{\partial x} = \int_0^t \frac{\partial L}{\partial x}\,dt$$

이고, 라그랑주 방정식에서

$$\frac{\partial L}{\partial x} = \frac{dp}{dt}$$

이므로

$$\frac{\partial W}{\partial x} = \int_0^t \frac{dp}{dt}\,dt = p \tag{5-4-2}$$

가 된다. 한편 식 (5-4-1)을 t로 미분하면

$$\frac{dW}{dt} = L \tag{5-4-3}$$

이다. W는 t와 x에 모두 의존하므로

$$\begin{aligned} \frac{dW}{dt} &= \frac{\partial W}{\partial t} + \frac{\partial W}{\partial x}\frac{dx}{dt} \\ &= \frac{\partial W}{\partial t} + pv \\ &= \frac{\partial W}{\partial t} + pv - L + L \\ &= \frac{\partial W}{\partial t} + H + L \end{aligned} \tag{5-4-4}$$

이다. 식 (5-4-3)과 (5-4-4)를 비교하면

$$\frac{\partial W}{\partial t} + H(x, p) = 0$$

또는

$$\frac{\partial W}{\partial t} + H\left(x, \frac{\partial W}{\partial x}\right) = 0 \tag{5-4-5}$$

이 된다. 이것을 해밀턴-야코비 방정식이라고 부른다. 예를 들어 다음과 같은 해밀토니안을 보자.

$$H = \frac{p^2}{2m} + V(x, t) \qquad (5\text{–}4\text{–}6)$$

이 해밀토니안에 대응하는 해밀턴–야코비 방정식은

$$\frac{\partial W}{\partial t} + \frac{1}{2m}\left(\frac{\partial W}{\partial x}\right)^2 + V(x, t) = 0 \qquad (5\text{–}4\text{–}7)$$

이다.

수학양 재미있는 형태의 방정식이네요. 그러니까 해밀턴–야코비 방정식은 작용이 만족하는 방정식이군요.

정교수 그렇다네.

해밀턴–야코비 방정식에서 에너지가 E로 보존되는 경우를 생각하자. 이때 해밀토니안은 E가 된다. 즉,

$$\frac{\partial W}{\partial t} + E = 0 \qquad (5\text{–}4\text{–}8)$$

이다. 이 식을 풀면

$$W = -Et + S(x) \qquad (5\text{–}4\text{–}9)$$

가 된다. 여기서 $S(x)$는 x만의 함수이다.

물리군 해밀턴-야코비 방정식이 양자역학과 무슨 관계가 있죠?

정교수 다음 강의에서 슈뢰딩거 방정식을 공부할 때 필요하네.

수학양 그렇군요.

여섯 번째 만남

슈뢰딩거 방정식의 탄생과 불확정성원리의 완성

슈뢰딩거의 등장 _ 새로운 방정식의 발견

정교수 하이젠베르크와 보른-요르단의 논문으로 새로운 물리학의 탄생이 예고되었어. 그때부터 과학자들은 양자라는 기묘한 입자가 만족하는 방정식을 찾으려 했지. 오스트리아의 슈뢰딩거가 그 방정식을 발견했다네.

슈뢰딩거(Erwin Schrödinger, 1887~1961, 1933년 노벨 물리학상 수상)

슈뢰딩거는 1887년 8월 12일 오스트리아[16]의 빈에서 태어났다. 그의 아버지는 식물학자이고 가톨릭 신자였으며, 어머니는 화학 교수이고 루터교[17]신자였다. 그는 종교적인 가정에서 루터교인으로 자랐

16) 당시에는 오스트리아-헝가리 제국이다.

17) 루터로부터 시작된 성서 중심의 그리스도교 교파 가운데 하나로 복음주의를 표방하며 프로테스탄트 교회의 주류를 이룬다.

지만 그 자신은 무신론자였다.

그의 어머니는 오스트리아인과 영국인의 혼혈이었다. 슈뢰딩거는 외할머니가 영국인이었기 때문에 집에서 영어를 배울 수 있었다.

1906년부터 1910년까지 슈뢰딩거는 빈 대학교에서 공부했고, 1910년에 박사 학위를 받았다. 그 후 1년 정도 군복무를 한 그는 1914년 빈 대학교에서 시간강사로 일했다. 그러던 중 제1차 세계대전이 발발해 포병 장교로 참전했다가 1917년 다시 빈 대학으로 돌아와 1920년 물리학과 교수가 되었다.

슈뢰딩거는 1921년 10월 스위스 취리히 대학교의 물리학과 교수로 자리를 옮겼다. 그러나 폐결핵에 걸려 스위스 그라우뷘덴주의 산악 휴양 도시 아로사에서 요양하면서 보어의 원자모형에 관한 논문 두 편을 게재했다.

1922년 11월 취리히 대학교로 돌아온 슈뢰딩거는 강의가 너무 많아 연구 시간을 내기 힘들었고 몸도 허약한 상태였다. 1925년 크리스마스를 며칠 앞두고 그는 아로사의 별장으로 휴가를 갔다가 이듬해 1월 8일 취리히 대학으로 돌아왔다. 이때 그는 양자의 방정식인 슈뢰딩거 방정식을 발표했다.

1927년부터 독일 베를린의 프리드리히 빌헬름 대학에서 일하던 슈뢰딩거는 나치즘에 반대해 1933년 영국 옥스퍼드 대학으로 자리를 옮겼다. 그해 그는 슈뢰딩거 방정식의 발견으로 디랙과 함께 노벨 물리학상을 수상한다.

물리군 슈뢰딩거는 어떻게 양자가 만족하는 방정식을 찾아냈죠?

정교수 물리학은 방정식으로 기술하네. 고전역학의 입자 문제는 뉴턴 방정식으로, 전기와 자기 현상은 맥스웰 방정식으로 서술하지. 마찬가지로 양자도 만족하는 방정식이 존재해야 해. 슈뢰딩거가 방정식을 발견한 과정을 자세히 살펴보세.

슈뢰딩거는 고전역학의 작용 W에 주목했다. 작용은

$$W = \int_{t_0}^{t} L dt = \int_{t_0}^{t} (T - V)\, dt \tag{6-2-1}$$

이다. 여기서

$$L = T - V \tag{6-2-2}$$

는 라그랑지안이다. 이때 운동에너지 T는

$$T = \frac{1}{2} m(\dot{x}^2 + \dot{y}^2 + \dot{z}^2) = \frac{1}{2m}(p_x^2 + p_y^2 + p_z^2) \tag{6-2-3}$$

이고, V는 퍼텐셜에너지로 x, y, z와 시간 t의 함수이다.

슈뢰딩거는 이 라그랑지안에 대한 해밀토니안을 다음과 같이 구했다.

$$H(x, y, z, p_x, p_y, p_z) = T + V = \frac{1}{2m}(p_x^2 + p_y^2 + p_z^2) + V(x, y, z) \tag{6-2-4}$$

그는 작용이 만족하는 해밀턴-야코비 방정식을 생각했다.

$$\frac{\partial W}{\partial t} + H\left(x, y, z, \frac{\partial W}{\partial x}, \frac{\partial W}{\partial y}, \frac{\partial W}{\partial z}\right) = 0 \qquad (6\text{–}2\text{–}5)$$

또는

$$\frac{\partial W}{\partial t} + \frac{1}{2m}\left[\left(\frac{\partial W}{\partial x}\right)^2 + \left(\frac{\partial W}{\partial y}\right)^2 + \left(\frac{\partial W}{\partial z}\right)^2\right] + V(x, y, z) = 0 \qquad (6\text{–}2\text{–}6)$$

해밀턴-야코비 이론으로부터 에너지가 E로 보존되면

$$W = -Et + S(x, y, z) \qquad (6\text{–}2\text{–}7)$$

가 된다. 이제 간단히 하기 위해 일차원인 경우를 생각하자. 이때 해밀토니안은

$$H(x, p, t) = T + V = \frac{1}{2m}p^2 + V(x, t) \qquad (6\text{–}2\text{–}8)$$

이고, 해밀턴-야코비 방정식은

$$\frac{\partial W}{\partial t} + \frac{1}{2m}\left(\frac{\partial W}{\partial x}\right)^2 + V(x, t) = 0 \qquad (6\text{–}2\text{–}9)$$

이다. 에너지가 E로 보존되면

$$W = -Et + S(x) \qquad (6\text{–}2\text{–}10)$$

가 된다. 한편 에너지는 운동에너지와 퍼텐셜에너지의 합이므로

$$E = \frac{p^2}{2m} + V$$

이다. 이것을 식 (5-4-2)를 이용해 p에 대해 풀면

$$p^2 = \left(\frac{\partial W}{\partial x}\right)^2 = 2m(E - V)$$

또는

$$\left|\frac{\partial W}{\partial x}\right| = \sqrt{2m(E - V)} \qquad (6\text{-}2\text{-}11)$$

이다. $\frac{\partial W}{\partial x} = p$를 양수로 택하면

$$p = \sqrt{2m(E - V)} \qquad (6\text{-}2\text{-}12)$$

가 된다.

슈뢰딩거는 드브로이의 논문을 들여다보았다. 드브로이는 전자가 입자인 동시에 파동이라고 하였다. 슈뢰딩거는 전자를 파동으로 다루고 싶었다.

드브로이에 의하면 전자의 파동함수는

$$\psi(x, t) = A\sin\left(\frac{2\pi}{\lambda}x - 2\pi\nu t\right) \qquad (6\text{-}2\text{-}13)$$

로 나타낸다. 이때 λ는 파장, ν는 진동수이다. 전자는 양자이므로 전자의 에너지 E는

$$E = h\nu = \hbar w \tag{6-2-14}$$

이다. 여기서 w는 각진동수이다. 따라서 식 (6-2-14)는

$$\psi(x, t) = A\sin\left(\frac{2\pi}{\lambda}x - \frac{E}{\hbar}t\right) \tag{6-2-15}$$

가 된다. 식 (6-2-10)을 이용하면 다음과 같다.

$$\psi(x, t) = A\sin\left(\frac{2\pi}{\lambda}x - \frac{1}{\hbar}(S(x) - W)\right) \tag{6-2-16}$$

슈뢰딩거는 드브로이의 공식

$$p = \frac{\partial W}{\partial x} = \frac{\partial S}{\partial x} = \frac{h}{\lambda}$$

를 이용했다. 이 식에서

$$S = \frac{h}{\lambda}x$$

이므로

$$\psi(x, t) = A\sin\left(\frac{1}{\hbar}W\right) = A\sin\left(\frac{1}{\hbar}(-Et + S)\right) \tag{6-2-17}$$

가 된다. 슈뢰딩거는 이 파동의 속도 u를 구하고자 했다. 파동의 시간 주기를 T라고 하면 T시간 경과 후 파동의 모습은 같아지므로

$$\sin\left(\frac{1}{\hbar}(-ET+S)\right)=\sin\left(\frac{1}{\hbar}(-E\times 0+S)\right)$$

가 성립한다. 이 식으로부터

$$\frac{ET}{\hbar}=2\pi$$

또는

$$T=\frac{h}{E} \qquad (6\text{–}2\text{–}18)$$

가 된다. 그러므로

$$\lambda=uT$$

이고 드브로이 공식에 의해

$$\frac{h}{p}=u\frac{h}{E}$$

가 되어 파동의 속도는

$$u=\frac{E}{p}=\frac{E}{\sqrt{2m(E-V)}} \qquad (6\text{–}2\text{–}19)$$

이다.

물리군 전자를 파동으로 묘사할 때 파동의 속도를 구한 거네요.

정교수 맞아.

슈뢰딩거는 전자를 묘사하는 파동함수 $\psi(x, t)$가 파동방정식

$$\frac{\partial^2 \psi}{\partial x^2} = \frac{1}{u^2}\frac{\partial^2 \psi}{\partial t^2} \tag{6-2-20}$$

을 만족한다고 생각했다. 식 (6-2-17)을 시간으로 편미분하면

$$\frac{\partial \psi}{\partial t} = -\frac{E}{\hbar} A \cos\left(\frac{1}{\hbar}(-Et + S)\right)$$

이고, 시간으로 두 번 미분하면

$$\frac{\partial^2 \psi}{\partial t^2} = -\frac{E^2}{\hbar^2} A \sin\left(\frac{1}{\hbar}(-Et + S)\right) = -\frac{E^2}{\hbar^2}\psi \tag{6-2-21}$$

가 된다. 이 결과를 식 (6-2-20)에 넣으면

$$\frac{\partial^2 \psi}{\partial x^2} = -\frac{1}{u^2}\frac{E^2}{\hbar^2}\psi \tag{6-2-22}$$

이다. 이 식에 식 (6-2-19)를 넣으면

$$\frac{\partial^2 \psi}{\partial x^2} = -\frac{2m(E-V)}{E^2}\frac{E^2}{\hbar^2}\psi$$

이므로

$$\frac{\partial^2 \psi}{\partial x^2} = -\frac{2m(E-V)}{\hbar^2}\psi \qquad (6\text{-}2\text{-}23)$$

가 된다. 이 식을 정리하면

$$\left(-\frac{\hbar^2}{2m}\frac{d^2}{dx^2} + V\right)\psi = E\psi \qquad (6\text{-}2\text{-}24)$$

이다. 이것이 바로 전자가 만족하는 슈뢰딩거 방정식이다.

물리군 양자역학을 지배하는 방정식이 탄생했군요.

정교수 그렇지.

하이젠베르크-보른-요르단 관계식과 슈뢰딩거 방정식

_ 다르게 보이지만 결국 같은 것

정교수 양자역학에 접근하는 방법은 하이젠베르크-보른-요르단과 슈뢰딩거가 서로 달랐네. 이제 물리학자들은 두 방법이 동일함을 보여야 했어. 즉, 하이젠베르크-보른-요르단 관계식과 슈뢰딩거 방정식이 같다는 것을 증명해야 했지.

하이젠베르크-보른-요르단의 관계식을 다시 보자.

$$\hat{x}\hat{p} - \hat{p}\hat{x} = i\hbar \tag{6-3-1}$$

만일 고전역학이라면 플랑크 상수는 존재하지 않는다. 다시 말해 $\hbar \to 0$ 이면 양자 이론은 고전 이론이 된다는 뜻이다. 그 경우에 $\hat{x}$는 x, $\hat{p}$는 p가 되어

$$xp = px$$

이다. 이것은 위치와 운동량을 수로 표현할 수 있음을 의미한다. 수는 교환법칙이 성립하기 때문이다.

물리군 $\hat{x}\hat{p} - \hat{p}\hat{x} \neq 0$일 때는 $\hat{x}$와 $\hat{p}$를 수로 표현할 수 없군요.

정교수 그렇다네.

물리군 그러면 무엇으로 표현하죠?

정교수　물리학자들은 $\hat{x}$와 $\hat{p}$를 연산자로 기술해야 한다고 생각했어.

물리군　연산자가 뭐예요?

정교수　어떤 함수에 작용해 다른 함수를 만들어내는 것으로 보면 돼. 미분이나 적분이 바로 연산자의 예야. 다음 식을 볼까?

$$\frac{d}{dx}(x^3) = 3x^2$$

$\frac{d}{dx}$는 x^3이라는 함수에 작용해 이 함수를 $3x^2$으로 바꾸었어. 그래서 수학자들은 $\frac{d}{dx}$를 미분 연산자라고 부르지. 여기서 x^3에 미분 연산자가 작용하면 그 결과는 x^3에 비례하지 않아. 하지만 미분 연산자가 e^{3x}에 작용하면

$$\frac{d}{dx}(e^{3x}) = 3e^{3x} \tag{6-3-2}$$

이므로 그 결과가 e^{3x}에 비례하지? 이렇게 어떤 함수에 연산자가 작용했을 때 결과가 그 함수에 비례하는 경우, 이런 연산자를 고유 연산자라 하고 이 함수를 고유함수, 비례상수를 고윳값이라고 부른다네. 그러니까 식 (6-3-2)에서 $\frac{d}{dx}$는 고유함수 e^{3x}에 대해 고윳값 3을 갖지.

물리군　주어진 연산자에 대해 고유함수도 있고 고유함수가 아닌 함수도 있군요. 미분 연산자의 경우 e^{3x}은 고유함수이지만 x^3은 고유함수가 아니고요.

정교수　제대로 이해했군!

물리학자들은 고유 연산자의 개념을 양자 이론에 도입하여 $\hat{x}$를 위치 연산자, $\hat{p}$를 운동량 연산자라고 불렀다. 그리고 위치 연산자 $\hat{x}$가 어떤 파동함수를 고유함수로 가지며, 이때의 고윳값이 위치 x라고 생각했다. 이 파동함수는 x와 시간 t에 의존하므로 $\psi(x, t)$라고 하면

$$\hat{x}\psi(x, t) = x\psi(x, t) \tag{6-3-3}$$

로 정의된다. 여기서 $\psi(x, t)$를 x−표현 파동함수라고 부른다.

물리군 $\hat{p}$가 x−표현 파동함수에 작용하면 어떻게 되나요?

정교수 그건 다음과 같아.

$$\hat{p}\psi(x, t) = \frac{\hbar}{i}\frac{\partial}{\partial x}\psi(x, t) \tag{6-3-4}$$

물리군 왜 갑자기 미분이 나오는 거예요?

정교수 식 (6-3-1)을 만족해야 하기 때문이야. 즉, x로 표현하면

$$\hat{x} \to x$$
$$\hat{p} \to \frac{\hbar}{i}\frac{\partial}{\partial x}$$

로 나타낼 수 있어.

이제 $\hat{x}\hat{p}-\hat{p}\hat{x}$를 x-표현 파동함수에 작용시켜 보자.

$$(\hat{x}\hat{p}-\hat{p}\hat{x})\psi(x)=x\frac{\hbar}{i}\frac{\partial}{\partial x}\psi(x)-\frac{\hbar}{i}\frac{\partial}{\partial x}x\psi(x) \tag{6-3-5}$$

이때 우변의 두 번째 항에서 $\frac{\partial}{\partial x}$는 x와 $\psi(x)$의 곱에 작용하므로

$$(\hat{x}\hat{p}-\hat{p}\hat{x})\psi(x)=x\frac{\hbar}{i}\frac{\partial}{\partial x}\psi(x)-\frac{\hbar}{i}\frac{\partial}{\partial x}(x\psi(x))$$

$$=x\frac{\hbar}{i}\frac{\partial}{\partial x}\psi(x)-\frac{\hbar}{i}\left(\psi(x)+x\frac{\partial}{\partial x}\psi(x)\right)$$

$$=-\frac{\hbar}{i}\psi(x)$$

$$=i\hbar\psi(x)$$

가 되어, 식 (6-3-1)을 만족한다.

물리군　하지만 슈뢰딩거의 논문에는 허수가 등장하지 않잖아요?

정교수　슈뢰딩거는 허수가 물리학에 등장하는 것을 탐탁지 않게 여겼어. 그래서 논문에 허수를 쓰지 않고 기술했지. 그는 자신이 구한 전자의 파동함수가 물리적인 의미를 가진다고 생각했네. 나중에 슈뢰딩거는 생각을 바꾸지. 즉, 양자역학에서 허수의 필요성을 인정하게 된 거야.

물리군　슈뢰딩거의 논문에서 전자의 파동함수는

$$\psi(x, t) = A\sin\left(\frac{2\pi}{\lambda}x - \frac{E}{\hbar}t\right) \qquad (6\text{-}3\text{-}6)$$

로 주어졌어요. 그런데 운동량 연산자가 $\hat{p} = \frac{\hbar}{i}\frac{\partial}{\partial x}$라면 운동량 연산자의 고유함수가 아니네요. 사인함수를 미분하면 코사인함수가 되니까요.

정교수 맞아. $E = \hbar w$ 이고 $\frac{2\pi}{\lambda} = k$이니까 식 (6-3-6)은

$$\psi(x, t) = A\sin(kx - wt) \qquad (6\text{-}3\text{-}7)$$

로 쓸 수 있어. 물론 이 파동함수는 운동량 연산자의 고유함수가 아니야.

$$\frac{\hbar}{i}\frac{\partial}{\partial x}\sin(kx - wt) = \frac{\hbar k}{i}\cos(kx - wt)$$

가 되니까 말이야. 하지만 파동함수는 사인뿐만 아니라 코사인으로도 기술할 수 있다네. 그 내용을 좀 더 살펴보세.

물리학자들은 사인으로 기술하는 파동함수와 코사인으로 기술하는 파동함수의 중첩을 생각했다. 즉, 파동함수를

$$\psi(x, t) = A[\cos(kx - wt) + \eta\sin(kx - wt)]$$

라고 놓았다. 이것에 운동량 연산자를 작용하면

$$\hat{p}\psi(x, t) = \frac{\hbar}{i}\frac{\partial}{\partial x}A[\cos(kx - wt) + \eta\sin(kx - wt)]$$

$$= \frac{\hbar}{i}A[-k\sin(kx - wt) + \eta k\cos(kx - wt)]$$

$$= \frac{\hbar}{i}\eta kA\left[\cos(kx - wt) - \frac{1}{\eta}\sin(kx - wt)\right]$$

이다. ψ가 운동량 연산자의 고윳값이 되려면

$$-\frac{1}{\eta} = \eta$$

이어야 한다. 즉, $\eta^2 = -1$이므로 $\eta = i$이다. 따라서 파동함수는

$$\psi(x, t) = Ae^{i(kx - wt)} \quad (6\text{–}3\text{–}8)$$

로 쓸 수 있다. 운동량 연산자가 x-표현 파동함수에 작용했을 때 고윳값을 운동량 p라고 하면

$$\hat{p}\psi(x, t) = p\psi(x, t) \quad (6\text{–}3\text{–}9)$$

이어야 한다. 그러므로

$$p = \hbar k \quad (6\text{–}3\text{–}10)$$

이고 운동량 연산자의 기댓값은 실수가 된다.

물리학자들은 파동함수를 시간으로 미분해 보았다. 그 결과

$$i\hbar\frac{\partial}{\partial t}\psi(x,t)=\hbar w\psi(x,t)=E\psi(x,t) \tag{6-3-11}$$

이므로 $i\hbar\frac{\partial}{\partial t}$는 고윳값으로 에너지 E를 갖는 연산자가 된다. 이것은 해밀토니안의 연산자 버전이어야 했다. 따라서 해밀토니안 연산자를 $\hat{H}$라고 하면

$$\hat{H} \ \rightarrow \ i\hbar\frac{\partial}{\partial t} \tag{6-3-12}$$

이다. 이제 물리학자들은 해석역학에서 해밀토니안의 정의를 연산자 $\hat{H}$로 다시 쓰고 그것을 파동함수에 작용했다. 그러니까

$$\hat{H}=\frac{1}{2m}(\hat{p})^2+V(\hat{x}) \tag{6-3-13}$$

이고, 이것을 파동함수에 작용하면

$$\hat{H}\psi(x,t)=\left[\frac{1}{2m}(\hat{p})^2+V(\hat{x})\right]\psi(x,t) \tag{6-3-14}$$

가 된다. 이제 x로 나타내면

$$(\hat{p})^2=-\hbar^2\frac{\partial^2}{\partial x^2} \tag{6-3-15}$$

이므로 이 식은

$$i\hbar\frac{\partial}{\partial t}\psi(x,t) = \left[-\frac{\hbar^2}{2m}\frac{\partial^2}{\partial x^2} + V(x)\right]\psi(x,t) \qquad (6\text{–}3\text{–}16)$$

가 되어 슈뢰딩거 방정식이 나타난다. 이를 시간 의존 슈뢰딩거 방정식이라고 한다.

만일 $\psi(x, t)$가 시간에 의존하지 않으면 $\psi(x, t) = \psi(x)$가 되는데, 이때 식 (6–3–11)로부터

$$\left[-\frac{\hbar^2}{2m}\frac{\partial^2}{\partial x^2} + V(x)\right]\psi(x) = E\psi(x) \qquad (6\text{–}3\text{–}17)$$

이다. 이것이 슈뢰딩거가 발견한 슈뢰딩거 방정식이다. 이를 시간 비의존 슈뢰딩거 방정식이라고 한다.

보른의 확률 해석과 에렌페스트의 기댓값 _ 복소수 문제의 해결

물리군 파동함수가 복소수로 나타나도 되나요?

정교수 그게 양자역학을 만든 물리학자들이 해결해야 하는 문제였어. 그 내용을 살펴보기에 앞서 복소수에 대해 간단히 기억을 소환해 보세.

❶ 복소수는 다음과 같이 쓸 수 있다.

$$z = a + bi \quad (a, b\text{는 실수}) \tag{6-4-1}$$

이때 a를 실수부, b를 허수부라고 한다. 복소수 $z = a + bi$에서 $b = 0$이면 $z = a$(실수)이므로 z는 실수가 된다.

❷ 복소수 $z = a + bi$에 대해 $z^* = a - bi$를 z의 켤레복소수라고 한다. 이때

$$z + z^* = 2a = (\text{실수}) \tag{6-4-2}$$

가 된다.

❸ 복소수 z에 대해 $\sqrt{a^2 + b^2}$을 복소수 z의 크기라 하고 $|z|$로 나타낸다. 그러므로

$$|z|^2 = zz^* \tag{6-4-3}$$

가 성립한다. 여기서 우리는

$$|z|^2 \geq a^2$$

$$|z|^2 \geq b^2 \tag{6-4-4}$$

을 얻는다.

1926년 보른은 복소숫값을 갖는 파동함수(복소파동함수) 자체가 아니라 그것의 크기의 제곱이 물리적인 의미를 지닌다고 가설을 제시했다. 그는 슈뢰딩거 방정식에서 구한 파동함수 $\psi(x, t)$에 대해

$$|\psi(x, t)|^2$$

이 시각 t일 때 위치 x에서 전자를 발견할 확률이라고 해석했다. 이것을 보른의 확률 해석이라고 부른다. 복소수의 크기의 정의에 따라

$$|\psi(x, t)|^2 = \psi(x, t)^* \psi(x, t) \tag{6-4-5}$$

가 된다. 여기서 * 는 복소수의 켤레를 의미한다.

확률의 총합이 1이어야 하므로

$$\int_{-\infty}^{\infty} |\psi(x, t)|^2 dx = 1$$

또는

$$\int_{-\infty}^{\infty} \psi(x, t)^* \psi(x, t)\, dx = 1 \tag{6-4-6}$$

이다. 따라서

$$\lim_{x \to \pm\infty} |\psi(x, t)|^2 = 0 \tag{6-4-7}$$

을 만족해야 한다. 그렇지 않으면 식 (6-4-6)의 적분은 무한대가 되기 때문이다.

물리군　전자를 발견할 확률을 알면 전자의 위치나 운동량의 기댓값도 구할 수 있겠네요. 그런데 전자의 위치와 운동량이 연산자로 주어지는데 기댓값은 어떻게 정의하나요?

정교수　그 문제를 해결한 사람은 오스트리아 물리학자 에렌페스트일세. 그의 삶과 연구에 대해 이야기해 보겠네.

에렌페스트(Paul Ehrenfest, 1880~1933)

에렌페스트는 오스트리아 빈의 유대인 집안에서 태어났다. 그는 빈 공과대학에서 화학을 공부하던 중 가까운 곳에 있는 빈 대학에서 볼츠만의 통계역학 과목을 수강했다. 1901년 에렌페스트는 독일 괴팅겐 대학교로 편입하였고, 이곳에서 우크라이나 태생의 수학자인

타티야나 아파나세바(Tatyana Afanasyeva)를 만났다. 1904년 6월 23일 빈 대학교에서 박사 학위를 수여받은 에렌페스트는 그해 12월 21일 아파나세바와 결혼했다.

1907년 에렌페스트 부부는 상트페테르부르크로 이사했으나, 당시 러시아의 반유대주의로 정규직을 구하기 힘들었다. 1912년 10월 그들은 네덜란드 레이던으로 이사했고, 에렌페스트는 레이던 대학교에서 교수직을 얻었다.

1931년경부터 에렌페스트는 옛 지도 교수 볼츠만과 마찬가지로 깊은 우울증에 빠졌다. 1931년 5월 어느 날 그는 닐스 보어에게 다음과 같은 편지를 보냈다.

"나는 이론 물리학에 완전히 흥미를 잃었네. 무엇도 읽을 수 없고, 수많은 논문과 책들의 홍수 속에서 아무것도 이해할 수 없네. 아마 난 더 이상 가망이 없는 것 같다네."

– 에렌페스트

1932년 8월 아인슈타인은 절친한 에렌페스트의 건강이 우려돼 레이던 대학교에 그의 업무를 줄여 달라고 부탁했다. 당시 에렌페스트의 막내아들은 다운증후군을 앓고 있었고, 암스테르담의 한 병원에서 치료받는 중이었다. 1933년 9월 5일 에렌페스트는 이 병원에서 막내아들을 총으로 쏜 뒤 자살했다.

물리군 끔찍한 역사군요.

정교수 안타까운 일이지.

물리군 에렌페스트가 정의한 기댓값은 어떤 꼴인가요?

정교수 그는 위치 연산자와 운동량 연산자의 기댓값을

$$<\hat{x}>=\int_{-\infty}^{\infty}\psi(x,t)^{*}\hat{x}\psi(x,t)\,dx \tag{6-4-8}$$

$$<\hat{p}>=\int_{-\infty}^{\infty}\psi(x,t)^{*}\hat{p}\psi(x,t)\,dx \tag{6-4-9}$$

로 정의했어. 이것을 x로 나타내면

$$<\hat{x}>=\int_{-\infty}^{\infty}x\psi(x,t)^{*}\psi(x,t)\,dx \tag{6-4-10}$$

$$<\hat{p}>=\frac{\hbar}{i}\int_{-\infty}^{\infty}\psi(x,t)^{*}\frac{\partial}{\partial x}\psi(x,t)\,dx \tag{6-4-11}$$

가 되지.

물리군 에렌페스트는 왜 위치 연산자와 운동량 연산자의 기댓값을 식 (6-4-10)과 (6-4-11)처럼 정의한 거죠?

정교수 그는 양자역학은 복소수와 관련되어 있지만 우리가 측정하는 양은 반드시 실수로 나와야 한다고 생각했지. 즉, 위치 연산자와 운동량 연산자의 기댓값은 언제나 실수가 되어야 해.

물리군 식 (6-4-10)에서 위치좌표 x는 실수이고 $\psi(x,t)^{*}\psi(x,t)=|\psi(x,t)|^{2}$은 0 이상 1 이하의 실수이므로 실수가 되는 걸 알겠는데, 운동량 연산자

의 기댓값이 실수인지 아닌지는 잘 모르겠어요.

정교수 어떤 복소수 z와 그것의 켤레 z^*가 같으면 이 복소수는 실수가 돼. 이 성질을 이용할 거야.

식 (6-4-11)에 켤레를 취하면

$$<\hat{p}>^* = -\frac{\hbar}{i}\int_{-\infty}^{\infty}\psi(x,t)\frac{\partial}{\partial x}\psi(x,t)^* dx \qquad (6\text{-}4\text{-}12)$$

가 된다. 부분적분을 이용하면

$$<\hat{p}>^* = -\frac{\hbar}{i}\left([|\psi(x,t)|^2]_{-\infty}^{\infty} - \int_{-\infty}^{\infty}\psi(x,t)^*\frac{\partial}{\partial x}\psi(x,t)dx\right) \qquad (6\text{-}4\text{-}13)$$

이다. 식 (6-4-7)을 사용하면

$$<\hat{p}>^* = \frac{\hbar}{i}\int_{-\infty}^{\infty}\psi(x,t)^*\frac{\partial}{\partial x}\psi(x,t)dx = <\hat{p}> \qquad (6\text{-}4\text{-}14)$$

이므로 운동량의 기댓값은 실수가 된다.

슈뢰딩거, 양자역학으로 단조화 진동을 풀다 _ 하나의 답을 찾아서

물리군 슈뢰딩거 방정식으로도 단조화 진동 문제를 풀 수 있나요?

정교수 물론이야. 이건 슈뢰딩거가 다른 논문으로 발표했지. 그 논문은 독일어 원문이 영어로 번역이 안 되어 있어서 이 책 부록에는 싣지 못했어. 하지만 그 내용을 지금부터 이야기해 주겠네.

물리군 하이젠베르크의 결과와 같게 나오겠죠?

정교수 그렇고말고. 물리학은 다른 방법을 사용해도 같은 문제에 대해서는 하나의 답이 나와야 하거든.

슈뢰딩거는 단조화 진동 문제에서 질량 m인 전자가 $-mw^2x$의 힘을 받는 경우를 생각했다. 이 힘에 대한 퍼텐셜에너지를 V라고 하면

$$-\frac{dV}{dx} = -mw^2x$$

로부터

$$V = \frac{1}{2}mw^2x^2$$

이 된다. 이것을 슈뢰딩거 방정식에 넣으면

$$\left(-\frac{\hbar^2}{2m}\frac{d^2}{dx^2} + \frac{1}{2}mw^2x^2\right)\psi = E\psi \qquad (6\text{–}5\text{–}1)$$

또는

$$-\frac{\hbar^2}{2m}\frac{d^2\psi(x)}{dx^2}+\frac{1}{2}mw^2x^2\psi(x)=E\psi(x) \tag{6-5-2}$$

이다.

물리군 $\psi(x, t)$가 $\psi(x)$로 바뀌었네요.

정교수 퍼텐셜에너지는 시간에 따라 변하지 않으니까 위치에만 의존하는 파동함수를 생각한 거야.

슈뢰딩거는 식 (6-5-2)를 다음과 같이 고쳐 썼다.

$$\frac{d^2\psi(x)}{dx^2}+\left\{\frac{2mE}{\hbar^2}-\left(\frac{mw}{\hbar}\right)^2x^2\right\}\psi(x)=0 \tag{6-5-3}$$

이때

$$x=\sqrt{\frac{\hbar}{mw}}y \tag{6-5-4}$$

로 치환하면 식 (6-5-3)은

$$\frac{d^2\psi(y)}{dy^2}+(\epsilon-y^2)\psi(y)=0 \tag{6-5-5}$$

이 된다. 여기서 우리는

$$\epsilon = \frac{2E}{\hbar w} \tag{6-5-6}$$

로 두었다.

물리군　이 방정식은 어떻게 풀죠?

정교수　슈뢰딩거는 보른의 조건을 요구했어. 그러니까 식 (6-4-7)로부터 다음을 알 수 있지.

$$\lim_{x \to \infty} \psi(x) = 0$$

$$\lim_{x \to -\infty} \psi(x) = 0 \tag{6-5-7}$$

물리군　$|\psi|^2$이 확률이기 때문이군요.

정교수　그렇다네. $x \to \infty$이면 $y \to \infty$이고, $x \to -\infty$이면 $y \to -\infty$이므로 $y \to \infty$와 $y \to -\infty$일 때 파동함수가 0이어야 하지. 슈뢰딩거는 이런 조건을 만족하는 함수가

$$\psi(y) = e^{-by^2} H(y) \quad (b > 0) \tag{6-5-8}$$

의 꼴이라고 생각했어. 이때 e^{-by^2}의 그래프는 다음과 같아.

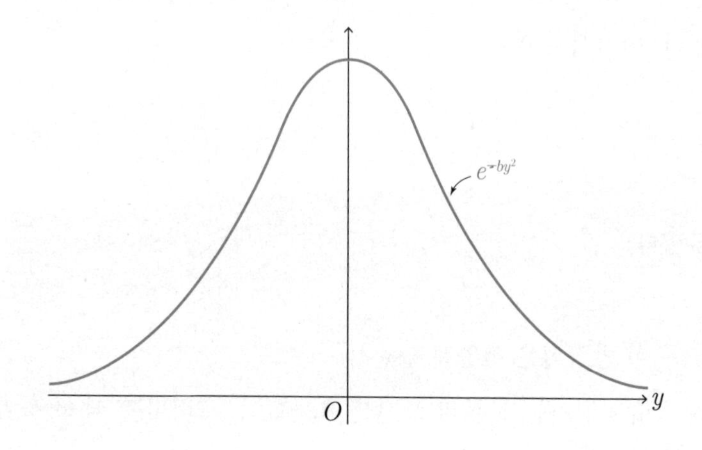

물리군 $y \to \infty$와 $y \to -\infty$일 때 파동함수가 0으로 가는군요. 그런데 b는 뭐예요?

정교수 나중에 식 (6-5-5)를 좀 더 간단한 모양으로 만들기 위해 결정할 걸세.

두 함수의 곱의 미분을 적용하면

$$\psi'(y) = e^{-by^2}(H' - 2byH)$$

$$\psi''(y) = e^{-by^2}\{H'' - 4byH' + (4b^2y^2 - 2b)H\}$$

가 된다. 이 식들을 식 (6-5-5)에 넣으면

$$H'' - 4byH' + \{(4b^2 - 1)y^2 + \epsilon - 1\}H = 0 \tag{6-5-9}$$

이다. b는 임의로 선택할 수 있으므로 $4b^2=1$에서

$$b=\frac{1}{2} \qquad (6\text{–}5\text{–}10)$$

로 놓으면

$$H''-2yH'+(\epsilon-1)H=0 \qquad (6\text{–}5\text{–}11)$$

이 된다.

물리군 이 방정식은 또 어떻게 풀어요?

정교수 슈뢰딩거는 파동함수가 보른의 조건을 만족하려면 $H(y)$가 다항식이 되어야 한다고 생각했어.

물리군 그건 왜죠?

정교수 만일 $H(y)$가 다항식이 아니라면 무한급수가 될 걸세. 그럼

$$e^{-\frac{1}{2}y^2}H(y)$$

는

$$e^{-\frac{1}{2}y^2}\times(\text{무한급수})$$

가 되지? y가 $\pm\infty$로 갈 때 $e^{-\frac{1}{2}y^2}$은 0으로 가지만, $H(y)$가 무한급수이면 y가 $\pm\infty$로 갈 때 $H(y)$가 무한대로 갈 수 있어. 그러면 파동함수는

$0 \times \infty$의 꼴이므로 y가 $\pm\infty$로 갈 때 파동함수가 반드시 0으로 간다고 말할 수 없거든. 하지만 $H(y)$가 다항식이면

$$e^{-\frac{1}{2}y^2} \times (\text{다항식})$$

은 y가 $\pm\infty$일 때 반드시 0으로 가게 되네. 그래서 $H(y)$를 다항식으로 요구하는 거야. 예를 들어 설명해 볼게.

3차 다항식 y^3의 경우를 보자.

$$\lim_{y \to \infty} e^{-\frac{1}{2}y^2} y^3 = \lim_{y \to \infty} \frac{y^3}{e^{\frac{1}{2}y^2}}$$

은 $\frac{\infty}{\infty}$꼴이므로 로피탈 정리를 사용하자. 이때

$$\lim_{y \to \infty} e^{-\frac{1}{2}y^2} y^3 = \lim_{y \to \infty} \frac{y^3}{e^{\frac{1}{2}y^2}} = \lim_{y \to \infty} \frac{3y^2}{ye^{\frac{1}{2}y^2}} = \lim_{y \to \infty} \frac{3y}{e^{\frac{1}{2}y^2}}$$

가 된다. 이 극한은 다시 $\frac{\infty}{\infty}$꼴이므로 로피탈 정리를 한번 더 쓰면

$$\lim_{y \to \infty} e^{-\frac{1}{2}y^2} y^3 = \lim_{y \to \infty} \frac{3y}{e^{\frac{1}{2}y^2}} = \lim_{y \to \infty} \frac{3}{ye^{\frac{1}{2}y^2}} = 0$$

이다.

일반적으로 $H(y)$가 다항식이면 y가 $\pm\infty$일 때 파동함수는 0이 되

어 보른의 조건을 만족한다.

물리군 $H(y)$가 다항식일 때 해는 어떻게 구하나요?

정교수 그건 1864년 프랑스 수학자 에르미트(Charles Hermite, 1822~1901)가 발견했어.

에르미트는 식 (6-5-11)에서 $H(y)$가 n차 다항식이려면

$$\epsilon - 1 = 2n \quad (n = 0, 1, 2, 3, \cdots) \tag{6-5-12}$$

이어야 한다는 것을 알아냈다.

그러므로 식 (6-5-12)는

$$E = \hbar w\left(n + \frac{1}{2}\right) \quad (n = 0, 1, 2, \cdots) \tag{6-5-13}$$

을 의미한다.

즉, 전자가 가질 수 있는 에너지는 n에 따라 달라지면서 불연속적이다. 이 에너지를 E_n이라고 하면

$$E_n = \hbar w\left(n + \frac{1}{2}\right) \quad (n = 0, 1, 2, \cdots) \tag{6-5-14}$$

이다.

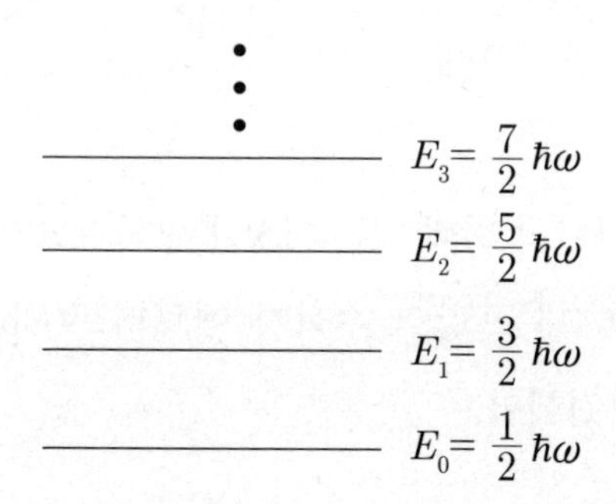

물리군　하이젠베르크가 구한 결과와 같네요.

정교수　물론이지. 하이젠베르크의 양자역학과 슈뢰딩거의 양자역학은 다른 수학을 사용해서 양자의 세계를 묘사해. 하지만 수학적인 방식이 달라도 같은 결과가 나와야 하네.

물리군　그렇군요.

불확정성원리의 완성 _ 동시에 정확하게 측정할 수 없다

정교수　지금부터는 불확정성원리의 가장 완벽한 형태인

$$\Delta x \Delta p \geq \frac{\hbar}{2} \tag{6-6-1}$$

를 증명할 거야. 여기서 Δx는 위치의 불확정성이고 Δp는 운동량의 불확정성을 말하네. 그런데 두 불확정성의 곱이 $\frac{\hbar}{2}$이상이니까 이 값은 0이 될 수 없어.

물리군 불확정성이 무슨 뜻인지 잘 모르겠어요.

정교수 우리는 앞에서 파동함수의 크기의 제곱이 확률이라고 배웠어. 물리학자들은 Δx를 위치에 대한 표준편차, Δp를 운동량에 대한 표준편차로 생각했지.

물리군 식 (6-6-1)은 하이젠베르크가 증명했나요?

정교수 이 관계식은 여러 사람의 힘에 의해 완성된다네. 1927년 미국의 케너드(Earle Hesse Kennard, 1885~1968), 로버트슨(Howard Percy Robertson, 1903~1961), 슈뢰딩거가 서로 다른 방법으로 이 식을 증명했어.

다음과 같은 함수를 보자.

$$f(x) - Kg(x) \tag{6-6-2}$$

$f(x)$, $g(x)$는 복소숫값을 갖는 함수이고 K는

$$K = \frac{\int g^*(x) f(x)\, dx}{\int |g(x)|^2 dx} \tag{6-6-3}$$

이다. 여기서 적분 기호 $\int$은 $\int_{-\infty}^{\infty}$를 간단하게 쓴 것으로 약속하자. K의 켤레는

$$K^* = \frac{\int g(x) f^*(x)\, dx}{\int |g(x)|^2 dx} \tag{6-6-4}$$

이다. 이제 다음과 같은 부등식을 생각하자.

$$\int |f(x) - Kg(x)|^2 dx \geq 0 \tag{6-6-5}$$

물리군 복소수의 크기는 실수이고 실수의 제곱은 양수이기 때문이죠?

정교수 정확하네.

식 (6-6-5)를 다시 쓰면

$$\int \{f^*(x) - K^* g^*(x)\}\{f(x) - Kg(x)\} dx \geq 0$$

또는

$$\int |f|^2 dx - K^* \int g^* f dx - K \int f^* g dx + |K|^2 \int |g|^2 dx \geq 0 \tag{6-6-6}$$

이다. 식 (6-6-3)과 (6-6-4)를 식 (6-6-6)에 넣으면

$$\int |f|^2 dx \geq \frac{\left(\int g^* f dx\right)\left(\int g f^* dx\right)}{\int |g|^2 dx}$$

또는

$$\int |f|^2 dx \int |g|^2 dx \geq \left| \int f^* g dx \right|^2 \qquad (6\text{–}6\text{–}7)$$

이 된다. 이제 파동함수 ψ가 위치와 운동량에 대한 기댓값이 0인 경우를 생각하자.

$$< \hat{x} >= 0$$

$$< \hat{p} >= 0 \qquad (6\text{–}6\text{–}8)$$

이것은 $|\psi(x)|^2$이 우함수인 경우에 가능하다. 즉, 확률분포가 위치의 기댓값 $x = 0$에 대해 좌우 대칭일 때이다.

이 파동함수에 대해

$$f = \hat{x}\psi(x) = x\psi(x)$$

$$g = \hat{p}\psi(x) = \frac{\hbar}{i}\frac{d\psi(x)}{dx} \qquad (6\text{–}6\text{–}9)$$

로 놓자. 이때 식 (6–6–7)에서

$$\int |f|^2 dx = \int x^2 |\psi(x)|^2 dx =< \hat{x}^2 > \qquad (6\text{–}6\text{–}10)$$

이고

$$\int |g|^2 dx = \int \left| \frac{\hbar}{i} \frac{d\psi(x)}{dx} \right|^2 dx$$

$$= \hbar^2 \int \frac{d\psi^*(x)}{dx} \frac{d\psi(x)}{dx} dx$$

이다. 여기서 부분적분을 이용하면

$$\int |g|^2 dx = -\hbar^2 \int \psi^*(x) \frac{d}{dx} \frac{d}{dx} \psi(x) dx$$

$$= \int \psi^*(x) \frac{\hbar}{i} \frac{d}{dx} \frac{\hbar}{i} \frac{d}{dx} \psi(x) dx$$

$$= \int \psi^*(x) \hat{p}^2 \psi(x) dx$$

$$= < \hat{p}^2 > \quad (6\text{-}6\text{-}11)$$

이다.

물리군 위치의 분산 $< \hat{x}^2 >$과 운동량의 분산 $< \hat{p}^2 >$이 나왔네요.

정교수 그러니까 다음과 같이 쓸 수 있어.

$$(\text{위치의 분산}) = < \hat{x}^2 > = (\Delta x)^2$$

$$(\text{운동량의 분산}) = < \hat{p}^2 > = (\Delta p)^2 \quad (6\text{-}6\text{-}12)$$

이제

$$\int f^* g dx = \int (\hat{x}\psi)^* (\hat{p}\psi)\, dx = \int \psi^* \hat{x}\hat{p}\psi dx \tag{6-6-13}$$

가 된다. 여기서 다음과 같이 변형하자.

$$\hat{x}\hat{p} = \frac{1}{2}(\hat{x}\hat{p} + \hat{p}\hat{x}) + \frac{1}{2}(\hat{x}\hat{p} - \hat{p}\hat{x})$$

$$= \frac{1}{2}(\hat{x}\hat{p} + \hat{p}\hat{x}) + \frac{1}{2} i\hbar \tag{6-6-14}$$

따라서

$$\int f^* g dx = \frac{1}{2}\int \psi^* \hat{x}\hat{p}\psi dx + \frac{1}{2}\int \psi^* \hat{p}\hat{x}\psi dx + \frac{1}{2} i\hbar \tag{6-6-15}$$

이다. 이때

$$Z = \int \psi^* \hat{x}\hat{p}\psi dx \tag{6-6-16}$$

로 놓으면

$$\int \psi^* \hat{p}\hat{x}\psi dx = \int \psi^* \frac{\hbar}{i}\frac{d}{dx}(x\psi)\, dx$$

이고, 부분적분을 이용하면

$$\int \psi^* \frac{\hbar}{i} \frac{d}{dx}(x\psi)\, dx = -\frac{\hbar}{i} \int \frac{d\psi^*}{dx} x\psi dx$$

$$= -\frac{\hbar}{i} \int x\psi \frac{d\psi^*}{dx} dx$$

$$= \left(\frac{\hbar}{i} \int x\psi^* \frac{d\psi}{dx} dx \right)^*$$

$$= \left(\int \psi^* \hat{x}\hat{p}\psi dx \right)^*$$

$$= Z^* \quad (6\text{–}6\text{–}17)$$

이다. 그러므로

$$\frac{1}{2} \int \psi^* \hat{x}\hat{p}\psi dx + \frac{1}{2} \int \psi^* \hat{p}\hat{x}\psi dx = \frac{1}{2}(Z + Z^*) = A = (\text{실수})$$

가 된다. 결국

$$\int f^* g dx = A + \frac{1}{2} i\hbar \quad (6\text{–}6\text{–}18)$$

이므로

$$\left| \int f^* g dx \right|^2 = \left| A + \frac{1}{2} i\hbar \right|^2 \geq \left(\frac{1}{2} \hbar \right)^2 \quad (6\text{–}6\text{–}19)$$

이 된다. 식 (6–6–7), (6–6–10), (6–6–11), (6–6–19)로부터

$$(\Delta x)^2 (\Delta p)^2 \geq \left(\frac{1}{2}\hbar\right)^2$$

또는

$$\Delta x \Delta p \geq \frac{\hbar}{2} \qquad (6\text{-}6\text{-}20)$$

를 얻는다. 이것이 불확정성원리의 완성형이다.

물리군 불확정성원리는 Δx, Δp 모두 0이 될 수 없다는 것을 의미하는군요.

정교수 맞아. 정리하면 다음과 같지.

(위치의 불확정성) = (위치의 표준편차) = (위치의 오차) ≠ 0

(운동량의 불확정성) = (운동량의 표준편차) = (운동량의 오차) ≠ 0

식 (6-6-20)에 근거해 하이젠베르크는 불확정성원리를 다음과 같이 기술했다.

"전자의 위치와 운동량은 동시에 정확하게 측정할 수 없다."

–하이젠베르크

물리군 뉴턴의 고전역학에서는 입자의 위치와 운동량을 동시에 정확하게 측정할 수 있죠?

정교수 그렇지. 불확정성원리를 다시 쓰면

$$\Delta x \Delta p \sim h \qquad (6\text{-}6\text{-}21)$$

라네. 여기서 ~는 그 정도의 크기가 된다는 뜻이야. 즉, 위치의 불확정성과 운동량의 불확정성의 곱이 플랑크 상수 정도의 크기임을 의미하지. 플랑크 상수가 너무 작기 때문에 우리가 사는 세상(거시 세계)에서는 불확정성원리를 잘 느낄 수 없어. 하지만 전자가 살고 있는 아주 작은 세상(미시 세계)에서는 불확정성원리가 매우 중요한 역할을 하게 돼.

하이젠베르크의 강연 _ 현미경 렌즈로 물체를 보는 가상 실험

물리군 전자가 불확정성원리를 만족하는 것을 하이젠베르크가 실험으로 보였나요?

정교수 그렇지는 않아. 전자의 정확한 위치를 알 수 없으니까 그 움직임을 눈으로 보는 것은 불가능해. 양자역학은 전자가 어느 위치에 있을 확률이 얼마 정도 되는지를 이야기할 뿐 정확한 위치는 알려주지 않거든. 1929년 하이젠베르크는 자신과 다른 물리학자들이 연구한 내용을 토대로 불확정성원리에 대한 멋진 강의를 했다네. 지금부터 그 내용을 이야기해 볼게.

하이젠베르크는 불확정성원리가 왜 성립하는지 청중들에게 설명하기 위해 가상 실험을 하나 소개했다. 그는 현미경의 렌즈로 물체를 보는 과정을 생각했다. 다음은 현미경의 렌즈를 통해 파장이 λ인 빛이 물체로 들어가는 경우를 나타낸 그림이다.

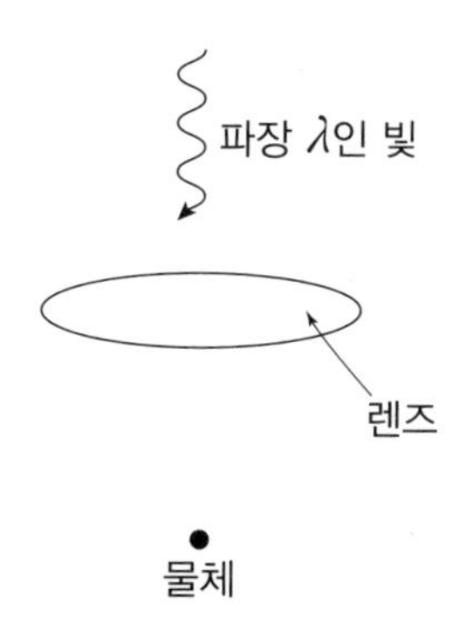

다음 그림과 같이 좌표축을 도입하자.

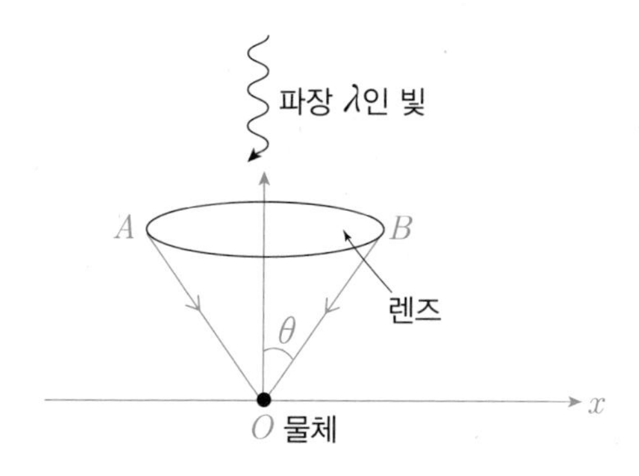

광학현미경에서는 이론적으로 극복할 수 없는 분해능의 한계가 생

긴다. 이 분해능의 한계를 물체의 위치의 불확정성으로 생각할 수 있다. 그림에서 분해능은

$$\Delta x \sim \frac{\lambda}{2\sin\theta}$$

이다. 이제 운동량의 불확정성을 구해 보자. B에서 O로 들어가는 빛의 운동량의 크기를 p라고 하면 이 운동량의 x성분은

$$-p\sin\theta$$

이다.

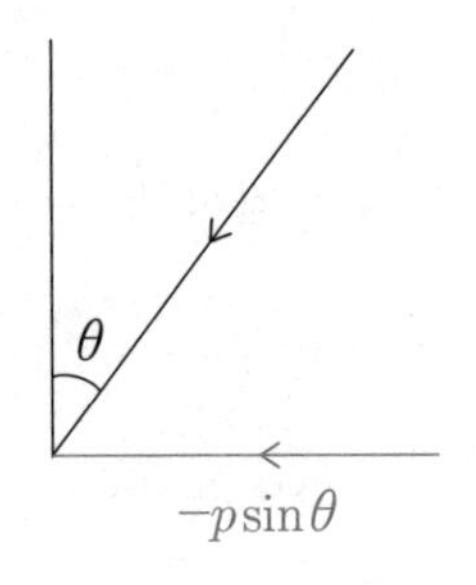

마찬가지로 A에서 O로 들어가는 빛의 운동량의 크기를 p라고 하면 이 운동량의 x성분은

$$p\sin\theta$$

가 된다.

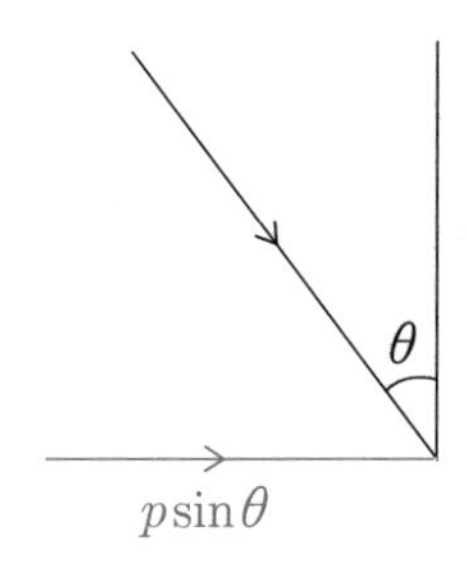

운동량의 x성분은 $-p\sin\theta$에서 $p\sin\theta$까지 변화하므로 운동량의 x성분의 불확정성은

$$\Delta p_x \sim 2p\sin\theta$$

이다. 그러므로

$$\Delta x \Delta p_x \sim \lambda p$$

이고, 드브로이의 공식 $p = \dfrac{h}{\lambda}$로부터

$$\Delta x \Delta p_x \sim h$$

가 되어 불확정성원리를 만족한다.

만남에 덧붙여

On the quantum reinterpretation of kinematical and mechanical relationships

Werner Heisenberg
Institute of Theoretical Physics, Göttingen
submitted July 29th, 1925

Translation: December 2014 by Luca Doria

Abstract In this work we will try to obtain the basis for a quantum mechanics theory which is based uniquely on relationships between in principle observable quantities.

Introduction

It is known that against the formal rules of the quantum theory used for the calculation of the observable quantities (for example the energy levels of the Hydrogen atom) the serious objection can be raised that 1) those calculational rules contain as essential components relationships between quantities that seemingly in principle cannot be observed (like for example the electron position and period) and 2) also those rules apparently lack every clear physical basis unless one does not want to remain attached to the hope that those until now unobserved quantities will be made experimentally accessible in the future. This hope might be regarded as justified if the above-mentioned rules were internally consistent and applicable to a clearly defined range of quantum theoretical problems.

Anyway, experience shows that 1) only the Hydrogen atom and its Stark effect fit into those formal rules of quantum theory, 2) already in the "crossed fields" problem (Hydrogen atom in electric and magnetic fields in different directions) fundamental difficulties arise, 3) the reaction of atoms to periodically varying fields surely cannot be described by the mentioned rules and 4) finally an expansion of the quantum rules for the treatment of many-electrons atoms has been proved unfeasible.

It became customary to characterize the failure of the quantum rules (that were already essentially characterized through the application of classical mechanics) as a deviation from classical mechanics. However, this description can hardly be viewed as logical when one considers that already the Einstein-Bohr frequency condition represents such a complete departure from classical mechanics or better, from the point of view the wave theory, from the underlying kinematics of this mechanics , that it is absolutely not possible even for the simplest quantum theoretical problem to maintain the validity of classical mechanics.

In this situation, it is advisable to completely give up any hope about the observation of hitherto unobserved quantities (like the electrons' position and period) and at the same time acknowledge that 1) the partial agreement with experience of the mentioned quantum rules is more or less an accident and 2) to try to construct a theory of quantum mechanics in which only relationships among observable quantities occur.

As first most important *Ansätze* to such a theory of quantum mechanics one can refer to the dispersion theory of Kreamer (cit 1) and following works based on it (cit 2).

In the following, we shall try to present some new quantum mechanical relationships and apply them to the detailed treatment of some special problems. We shall limit ourselves to problems with one degree of freedom.

Paragraph 1

In the classical theory, the radiation of a moving electron (in the wave-zone $E \sim H \sim 1/r$) is not completely given by the expressions

$$\vec{E} = \frac{e}{r^3 c^2}\left(\vec{r} \times (\vec{r} \times \vec{v})\right) \tag{1}$$

$$\vec{H} = \frac{e}{r^2 c^2}(\vec{v} \times \vec{r}) \tag{2}$$

but we have other terms at the next order, e.g. of the form

$$\frac{e}{rc^3}(\dot{\vec{v}} \times \vec{r}) \tag{3}$$

that we can denote as quadrupole radiation. and at the next higher order we have terms of the form

$$\frac{e}{rc^4}(\dot{\vec{v}} \times \vec{v}^2) \tag{4}$$

and in this way the approximation can be carried out at any desired order.

(In the previous expressions, $\vec{E}$ and $\vec{H}$ are the fields strengths at a point, e is the electron charge, $\vec{r}$ is the distance of the electron from the field point, $\vec{v}$ the electron velocity). One can ask himself how the higher terms look like in the quantum theory.

Since in the classical theory the higher orders can be easily calculated when the motion of the electron or its Fourier representation are given respectively, one can expect the same in the quantum theory. This question does not have to do with electrodynamics but this is - and this seems particularly important to us - of pure kinematical nature. We can pose this question as follows: given instead of the classical quantity x(t) a quantum theoretical one, which quantum theoretical quantity enters in the place of $x(t)^2$?

Before being able to answer this question, we have to remember that in the quantum theory it was not possible to assign to the electron a point in space as a function of time through observable quantities. However surely also in the quantum theory one can assign to the electron an emitted radiation. First, this radiation will be described by frequencies which quantum theoretically arise as function of two variables in the form:

$$\nu(n, n-\alpha) = \frac{1}{h}\{E(n) - E(n-\alpha)\} \tag{5}$$

and in the classical theory in the form:

$$\nu(n, \alpha) = \alpha \frac{1}{h}\frac{dE}{dn} \tag{6}$$

(From here onwards, we define $nh = J$ where J is one of the canonical constants). As characteristic for the comparisons of the classical mechanics to the quantum theory, with regard to the frequencies one can write the "combination relations"

Classically:

$$\nu(n, \alpha) + \nu(n, \beta) = \nu(n, \alpha + \beta) \tag{7}$$

Quantum theoretically:

$$\nu(n, n-\alpha) + \nu(n-\alpha, n-\alpha-\beta) = \nu(n, n-\alpha-\beta) \tag{8}$$

$$\nu(n-\beta, n-\alpha-\beta) + \nu(n, n-\beta) = \nu(n, n-\alpha-\beta) \tag{9}$$

Secondly, besides the frequencies, the amplitudes are necessary for the description of radiation. The amplitudes can be written as complex vectors (each with six independent components) and determine polarization and phase. They are also function of the two variables n and α so that the corresponding part of the radiation will be represented with

Quantum theoretically:

$$\Re\{\vec{X}(n, n-\alpha)e^{i\omega(n,n-\alpha)t}\} \tag{10}$$

Classically:

$$\Re\{\vec{X}_\alpha(n)e^{i\omega(n)\alpha t}\} \tag{11}$$

First of all, the phase (contained in $\vec{X}$) appears to have no meaning in the quantum theory since in this theory the frequencies are not in general commensurable with their harmonics. However, we will immediately see that also in the quantum theory the phase has a precise meaning which has an analog in the classical theory. Let us consider now a particular quantity x(t) in the classical theory such that it can be regarded as represented by the totality of quantities of the form

$$\vec{A}_\alpha(n)e^{i\omega(n)\alpha t} \tag{12}$$

which depending on the motion being periodic or not, represents x(t) with a sum or an integral

$$x(t) = \sum_{\alpha=-\infty}^{+\infty} \vec{X}_\alpha(n)e^{i\omega(n)\alpha t} \tag{13}$$

$$\text{or} \quad x(t) = \int_{-\infty}^{+\infty} \vec{X}_\alpha(n)e^{i\omega(n)\alpha t}d\alpha \tag{14}$$

A similar combination of the corresponding quantum-theoretical quantities seems to be impossible in an unique manner and therefore not meaningful in view of the equal weight of the quantities n and $n-\alpha$. However, one may readily regard the ensemble of quantities

$$\vec{X}(n, n-\alpha)e^{i\omega(n,n-\alpha)t} \tag{15}$$

as a representation of the quantity x(t) and then try to answer the question posed before: how would the quantity $x(t)^2$ be represented? Classically, the answer is obviously

$$Y_\beta(n)e^{i\omega(n)\beta t} = \sum_{\alpha=-\infty}^{+\infty} \vec{X}_\alpha \vec{X}_{\beta-\alpha} e^{i\omega(n)(\alpha+\beta-\alpha)t} \tag{16}$$

$$\text{or} \quad = \int_{-\infty}^{+\infty} \vec{X}_\alpha \vec{X}_{\beta-\alpha} e^{i\omega(n)(\alpha+\beta-\alpha)t} d\alpha \tag{17}$$

so that

$$x(t)^2 = \sum_{\beta=-\infty}^{+\infty} \vec{Y}_\beta e^{i\omega(n)\beta t} \tag{18}$$

or, respectively

$$= \int_{-\infty}^{+\infty} \vec{Y}_\beta e^{i\omega(n)\beta t} d\beta \tag{19}$$

It seems that quantum theoretically the easiest and most natural assumption is to replace Eqs. 16, 17 with

$$Y(n, n-\beta)e^{i\omega(n,n-\beta)t} = \sum_{\alpha=-\infty}^{+\infty} X(n, n-\alpha)X(n-\alpha, n-\beta)e^{i\omega(n,n-\beta)t} \tag{20}$$

$$\text{or} \quad = \int_{-\infty}^{+\infty} X(n, n-\alpha)X(n-\alpha, n-\beta)e^{i\omega(n,n-\beta)t} d\alpha \tag{21}$$

and indeed this way of combination follows almost inevitably from the frequency combination relation. If we accept the assumptions 20, 21 one recognizes also that the phases of the quantum theoretical $\vec{X}$ have the same relevant physical significance as in the classical theory: only the beginning time and hence a phase constant common to all the $\vec{X}$ is arbitrary and without physical meaning but the phase of every single $\vec{X}$ enters in the quantity $\vec{Y}$[1]. A geometric interpretation of these quantum theoretic phase relationships in analogy to the classical theory seems at first not possible.

We ask now about how to represent the quantity $x(t)^3$ and we find without difficulty:

---

[1]Footnote of WH: Compare also to H.A. Kramers and W.Heisenberg, (add bib. In the expressions used there for the induced scattering momentum, the phases are essentially contained.

Classically:

$$Z(n,\gamma) = \sum_{\alpha=-\infty}^{+\infty} \sum_{\beta=-\infty}^{+\infty} X_\alpha(n) X_\beta(n) X_{\gamma-\alpha-\beta}(n) \tag{22}$$

Quantum theoretically:

$$Z(n,n-\gamma) = \sum_{\alpha=-\infty}^{+\infty} \sum_{\beta=-\infty}^{+\infty} X(n,n-\alpha) X(n-\alpha,n-\alpha-\beta) X(n-\alpha-\beta,n-\gamma) \tag{23}$$

or the corresponding formulae with integrals. In a similar way, all the quantities of the form $x(t)^n$ can be expressed quantum theoretically and when a function $f[x(t)]$ is given, one can always obviously find the quantum theoretical analog if it is possible to expand this function in powers of x. A substantial difficulty arises when we consider two quantities $x(t)$, $y(t)$ and we ask about the product $x(t)y(t)$. Let be $x(t)$ characterized with X and $y(t)$ with Y so the representation of $x(t)y(t)$ results:

Classically:

$$Z_\beta = \sum_{\alpha=-\infty}^{+\infty} X_\alpha(n) Y_{\beta-\alpha}(n) \tag{24}$$

Quantum theoretically:

$$Z(n,n-\beta) = \sum_{\alpha=-\infty}^{+\infty} X(n,n-\alpha) Y(n-\alpha,n-\beta) \quad . \tag{25}$$

While classically $x(t)y(t)$ always equal to $y(t)x(t)$ is, in general it must not be the case in the quantum theory. In special cases, for example when one considers $x(t)x(t)^2$, the difficulty does not arise.

As in the question posed at the beginning of this paragraph, when one considers a form like $v(t)\dot{v}(t)$ one has to substitute $v\dot{v}$ quantum theoretically with $\frac{v\dot{v}+\dot{v}v}{2}$ for reaching that $v\dot{v}$ enters as the derivative of $\frac{v^2}{2}$.

Paragraph 2

After these considerations which subject was the kinematic of the quantum theory, we will turn to mechanical problems aiming at the determination of X,ν,E from the given forces of the system. In the previously presented theory, this problem will be solved in two steps:

1. Integration of the equations of motion

$$\ddot{x} + f(x) = 0 \tag{26}$$

2. Determination of the constants arising from periodic motion with

$$\oint pdq = \oint m\dot{x}dx = J(= nh) \quad . \tag{27}$$

If one want to construct a quantum theoretical mechanics which is the possible classical analog, it is probably very close to bring the equation of motion Eq. 26 directly into the quantum theory where it is only necessary to take over, for not abandoning the foundation of in principle observable quantities, instead of the quantities $\ddot{x}$,$f(x)$, their quantum theoretic representations known from Par. 1. In the classical theory, it is possible to search for a solution of Eq. 26 with the Ansatz for x in Fourier series or Fourier integrals with undetermined coefficients (and frequencies); although in general we obtain infinitely many equations with infinitely many unknowns (or integral equations) which can be solved only in special cases with simple recursion formulae for X. However, in the quantum theory, we are dependent on this kind of solution for Eq. 26 which, as discussed before, prevents the definition of direct analogues of the function $x(t)$. This has as consequence that the quantum theoretical solution of Eq. 26 is feasible at first only in the simplest cases. Before going over these simple examples, we would like to derive quantum theoretically the value of the constant in Eq. 27. We assume also that the (classical) motion is periodic:

$$x = \sum_{\alpha=-\infty}^{+\infty} X_\alpha(n)e^{i\alpha\omega(n)t} \tag{28}$$

then:

$$m\dot{x} = m\sum_{\alpha=-\infty}^{+\infty} X_\alpha(n) \cdot i\alpha\omega(n)e^{e\alpha\omega(n)t} \tag{29}$$

and

$$\oint m\dot{x}dx = \oint m\dot{x}^2dt = 2\pi m\sum_{\alpha=-\infty}^{+\infty} X_\alpha(n)a_{-\alpha}(n)\alpha^2\omega(n) \quad . \tag{30}$$

Further, since $a_{-\alpha}(n) = \bar{a_\alpha}(n)$ (x must be real), it follows

$$\oint m\dot{x}^2 dt = 2\pi m \sum_{\alpha=-\infty}^{+\infty} |X_\alpha(n)|^2 \alpha^2 \omega(n) \quad . \tag{31}$$

Until now, this phase integral was set to a multiple of h (nh); such a condition is not only forced into the classical calculation but it looks arbitrary also from the previous point of view of the correspondence principle because correspondence-wise the J is set only up to an additive constant as a multiple integer of h and instead of Eq. 31 one should have had

$$\frac{d}{dn}(nh) = \frac{d}{dn} \cdot \oint m\dot{x}^2 dt \tag{32}$$

which means

$$h = 2\pi m \sum_{\alpha=\infty}^{-\infty} \alpha \frac{d}{dn}(\alpha\omega(n) \cdot |X_\alpha(n)|^2) \tag{33}$$

Such a relation though fixes the X_αs only up to a constant and this indetermination led empirically to the difficulty of half-integer quantum numbers. If we ask for a quantum theoretical relation between observable quantities according to Eq. 31 and 33, the missing unambiguity comes out by itself again. Indeed only Eq. 33 has a simple quantum theoretical connection to the Kramer's dispersion theory:

$$h = 4\pi m \sum_{\alpha=0}^{\infty} \left\{ |X(n, n+\alpha)|^2 \omega(n, n+\alpha) - |X(n, n-\alpha)|^2 \omega(n, n-\alpha) \right\} \tag{34}$$

Indeed, this relationship is sufficient for an unique determination of the Xs because the initially undetermined constant in the quantities X will be fixed by itself by the condition which should give a normal state where no more radiation is present. Let the normal state be described by n_0, then it must be

$$X(n_0, n_0 - \alpha) = 0 \quad \text{for} \quad \alpha > 0 \tag{35}$$

The question about half-integer or integer quantization cannot be present in a quantum mechanics where only relations between observable quantities are used.

Eqs. 26 and 34 together contain, if solvable, a complete determination not only of the frequencies and energies, but also of the quantum theoretical transition probabilities. However, the actual mathematical procedure succeeds only in the easiest cases. A particular complication comes also from systems like the Hydrogen atom: since the solutions represent partly periodic and partly aperiodic motions, it has the consequence that the quantum theoretic series 20, 21 and Eq. 34 always fall in both the sum and the integral case. Quantum mechanically, it is not possible to divide "periodic and aperiodic motions". Despite that, one might see Eq. 26 and Eq.34 at least in principle as a satisfactory solution of the mechanical problem, if it is possible to show that this solution coincides (or is not in contradiction) with the until now known quantum mechanical relationships and that a small perturbation of a mechanical problem gives rise to additional orders in the energies or frequencies respectively which correspond to the expressions found by Kramers and Born (in contrast to which would have lead the classical theory). Further, one must investigate if in general Eq. 26 in the suggested quantum theoretical interpretation corresponds an energy integral $m\frac{\dot{x}^2}{2} + U(x) = \text{const}$ and if such obtained energy (analogously as classically holds $\nu = \frac{\partial W}{\partial J}$) the relation $\Delta W = h\nu$ is sufficient. A general answer to these questions might demonstrate the coherence of the present experiments and lead to a quantum mechanics which operates only with observable quantities. Apart from a general relationship between the Kramer's dispersion formula and Eq. 26 and 27, we can only answer the above stated questions in very special solvable cases through simple recursion. That general relationship between Kramer's dispersion theory and our Eq. 26 and 27 consists in the fact that in Eq. 26 (i.e. its quantum theoretical analog) like in the the classical theory follows, that the oscillating electron with respect to light which has a much shorter wavelenght with respect to the eigenfrequencies of the system, behaves like a free electron. This result follows also from Kramer's theory when Eq. 34 is taken into account. Indeed, Kramers finds for the induced moment by the wave $E\cos 2\pi\nu t$

$$M = e^2 E\cos(2\pi\nu t)\frac{2}{h}\sum_{\alpha=0}^{\infty}\left\{\frac{|X(n,n+\alpha)|^2\nu(n,n+\alpha)}{\nu^2(n,n+\alpha)-\nu^2} - \frac{|X(n,n-\alpha)|^2\nu(n,n-\alpha)}{\nu^2(n,n-\alpha)-\nu^2}\right\} \tag{36}$$

and for $\nu \gg \nu(n,n+\alpha)$

$$M = -\frac{2Ee^2\cos(2\pi\nu t)}{\nu^2 h}\sum_{\alpha=0}^{\infty}\left\{|X(n,n+\alpha)|^2\nu(n,n+\alpha) - |X(n,n-\alpha)|^2\nu(n,n-\alpha)\right\} \tag{37}$$

which using Eq. 34 becomes

$$M = -\frac{e^2 E \cos(2\pi\nu t)}{\nu^2 4\pi^2 m} \tag{38}$$

Paragraph 3

In the following, as the simplest example, the anharmonic oscillator will be treated:

$$\ddot{x} + \omega_0^2 x + \lambda x^2 = 0 \tag{39}$$

Classically, this equation can be satisfied by a Anzatz for the solution of the form:

$$x = \lambda a_0 + a_1 \cos\omega t + \lambda a_2 \cos 2\omega t + \lambda^2 a_3 \cos 3\omega t + \ldots + \lambda^{\tau-1} a_\tau \cos\tau\omega t \tag{40}$$

where the a are power series in λ, the first terms of which are independent from λ. Quantum theoretically, we try an analogous Ansatz representing x with terms of the form

$$\begin{array}{l} \lambda a(n,n) \quad ; \quad a(n,n-1)\cos\omega(n,n-1)t \quad ; \quad \lambda a(n,n-2)t \quad ; \\ \ldots \quad \lambda^{\tau-1} a(n,n-\tau)\cos\omega(n,n-\tau)t \quad \ldots \end{array} \tag{41}$$

The recursion formulae for the determination of a and ω (up to order λ) according to Eq. 16,17 or Eq. 20, 21 are:

Classically:

$$\left.\begin{array}{r} \omega_0^2 a_0(n) + \frac{a_1^2(n)}{2} = 0; \\ -\omega^2 + \omega_0^2 = 0; \\ (-4\omega^2 + \omega_0^2) a_2(n) + \frac{a_1^2}{2} = 0; \\ (-9\omega^2 + \omega_0^2) a_3(n) + a_1 a_2 = 0; \\ \cdot\ \cdot\ \cdot\ \cdot\ \cdot\ \cdot\ \cdot\ \cdot\ \cdot\ \cdot\ \cdot \end{array}\right\} \tag{42}$$

Quantum theoretically:

$$\left.\begin{array}{r} \omega_0^2 a_0(n) + \frac{a^2(n+1,n) + a^2(n,n-1)}{4} = 0; \\ -\omega^2(n,n-1) + \omega_0^2 = 0; \\ \left[-\omega^2(n,n-2) + \omega_0^2\right] a(n,n-2) + \frac{a(n,n-1)a(n-1,n-2)}{2} = 0; \\ \left[-\omega^2(n,n-3) + \omega_0^2\right] a(n,n-3) + \frac{a(n,n-2)a(n-1,n-3)}{2} + \frac{a(n,n-2)a(n-2,n-3)}{2} = 0; \\ \cdot\ \cdot\ \cdot\ \cdot\ \cdot\ \cdot\ \cdot\ \cdot\ \cdot\ \cdot\ \cdot \end{array}\right\} \tag{43}$$

With this comes the quantum condition:

Classically (J = nh):

$$1 = 2\pi m \frac{d}{dJ} \sum_{-\infty}^{\infty} \tau^2 \frac{|a_\tau|^2 \omega}{4} \tag{44}$$

Quantum theoretically:

$$h = \pi m \sum_{0}^{\infty} \left[|a(n+\tau, n)|^2 \omega(n+\tau, n) - |a(n, n-\tau)|^2 \omega(n, n-\tau) \right] \quad . \tag{45}$$

At the first order, this gives, both classically and quantum mechanically:

$$a_1^2(n) \quad \text{or} \quad a^2(n, n-1) = \frac{n + \text{const} h}{\pi m \omega_0} \tag{46}$$

Quantum theoretically, the constant in Eq. 46 can be determined with the condition that $a(n_0, n_0 - 1)$ must vanish in the ground state. If we number n such a way that n is equal to zero in the ground state i.e. $n_0 = 0$, then it follows that

$$a^2(n, n-1) = \frac{nh}{\pi m \omega_0} \tag{47}$$

Thus it follows from the recursion equations 42 that in the classical theory a_τ (to first order in λ) has the form $\chi(\tau) n^{\frac{\tau}{2}}$ where $\chi(\tau)$ represents a factor independent from n. In the quantum theory, Eq. 43 implies

$$a(n, n-\tau) = \chi(\tau) \sqrt{\frac{n!}{(n-\tau)!}} \quad , \tag{48}$$

where $\chi(\tau)$ represents itself a proportionality factor independent from n. Naturally, for large values of n, the quantum theoretical value of a_τ tends asymptotically to the classical one.

For the energy, it is obvious to try the classical Ansatz

$$E = \frac{m\dot{x}^2}{2} + m\omega_0^2 \frac{x^2}{2} + \frac{m\lambda}{3} x^3 \tag{49}$$

since in the presently calculated approximation it is really constant also quantum theoretically. Its value is given by Eq. 43, 46 and **??** as:

Classically:

$$E = \frac{nh\omega_0}{2\pi} \quad . \tag{50}$$

Quantum theoretically (from Eq. 20, 21):

$$E = \frac{(n + \frac{1}{2})h\omega_0}{2\pi} \tag{51}$$

(up to λ^2 order).

From this point of view, it is already not possible to represent the energy of the harmonic oscillator with "classical mechanics", i.e. Eq. **??** but it has instead the form given in Eq. **??**.

The precise calculation of the higher orders for E, a, and ω will now be carried out for the simpler example of the anharmonic oscillator of the type:

$$\ddot{x} + \omega_0^2 x + \lambda x^3 = 0 \quad . \tag{52}$$

Classically, we can set in this case:

$$x = a_1 \cos\omega t + \lambda a_3 \cos 3\omega t + \lambda^2 a_5 \cos 5\omega t + \quad ... \quad , \tag{53}$$

and quantum theoretically, we try by analogy the Ansatz

$$a(n, n-1)\cos\omega(n, n-1)t \quad ; \quad \lambda a(n, n-3)\cos\omega(n, n-3)t \quad ... \tag{54}$$

The quantities a are again power series in λ whose first term (as in Eq. **??**) has the form:

$$a(n, n-\tau) = \chi(\tau)\sqrt{\frac{n!}{(n-\tau)!}} \quad , \tag{55}$$

as one finds from the evaluation of the equations corresponding to Eq. **??** and 43. If the calculation of ω and a from Eq. 42 and **??** is carried out to order λ^2 or λ respectively, one obtains:

$$\omega(n, n-1) = \omega_0 + \lambda\frac{3nh}{8\pi\omega_0^2 m} - \lambda^2\frac{3h^2}{256\omega_0^5 m^2\pi^2}(17n^2 + 7) + \quad ... \tag{56}$$

$$a(n, n-1) = \sqrt{\frac{nh}{\pi\omega_0 m}}\left(1 - \lambda\frac{3nh}{16\pi\omega^3 m} + \quad ...\right) \quad . \tag{57}$$

$$a(n, n-3) = \frac{1}{32}\sqrt{\frac{h^3}{\pi^3\omega^7 m^3}n(n-1)(n-2)}\left(1 - \lambda\frac{39(n-1)h}{32\pi\omega_0^3 m}\right) \quad . \tag{58}$$

The energy, which is defined as the constant term in the expression

$$m\frac{\dot{x}^2}{2} +, \omega_0^2\frac{x^2}{2} + \frac{m\lambda}{4}x^4 \tag{59}$$

(I could not prove in general that all the terms are zero, but it was the case in the evaluated ones) turns out to be

$$W = \frac{n + \frac{1}{2}h\omega_0}{2\pi} + \lambda\frac{3(n^2 + n + \frac{1}{2}h^2)}{8 \cdot 4\pi^2\omega_0^2 m} \tag{60}$$

$$-\lambda^2\frac{h^3}{512\pi^3\omega_0^5 m^2}\left(17n^3 + \frac{51}{2}n^2 + \frac{59}{2}n + \frac{21}{2}\right) \quad . \tag{61}$$

This energy can also be determined with the Kramers-Born procedure by treating the term $\frac{m\lambda}{4}x^4$ as a perturbation to the harmonic oscillator. One comes again exactly to the result of Eq. ?? which seems to me to furnish remarkable support for the quantum-mechanical equations which are here considered as basis. Furthermore, the energy calculated from Eq. ?? satisfies the relation (cf. Eq. 56):

$$\frac{\omega(n, n-1)}{2\pi} = \frac{1}{h}\left[W(n) - W(n-1)\right] \quad , \tag{62}$$

which can be regarded as a necessary condition for the possibility of a determination of the transition probabilities according to Eq. 26 and 34.

In conclusion let us introduce the rotator as example and pay attention to the relationship of Eq. 20, 21 to the intensity formulae for the Zeeman effect [2] and for multiplets [3]. Let the rotator be represented by an electron which circles a nucleus with a constant distance a. The "equations of motion" predict, both classically and quantum-theoretically, that the electron simply describes a plane, uniform rotation at a distance a with angular velocity ω

[2]Goudsmit and R. de L. Kronig, Naturw. **13**, 90, 1925;
H. Hönl, ZS. f. Phys. **31** 340, 1925.

[3]R. de L. Kronig, ZS. f. Phys. **31** 885, 1925, S.141;
H.N. Russell, Nature **115**, 835, 1925.

about the nucleus. The "quantum condition" in Eq. 34 yields according to Eq. 27:

$$h = \frac{d}{dn}(2\pi m a^2 \omega) \quad , \tag{63}$$

and according to Eq. 34:

$$h = 2\pi m \left\{ a^2\omega(n+1,n) - a^2\omega(n,n-1) \right\} \quad , \tag{64}$$

from which, in both cases, it follows that:

$$\omega(n,n-1) = \frac{h(n + \text{const})}{2\pi m a^2} \quad . \tag{65}$$

The condition that the radiation should vanish in the ground state ($n_0 = 0$) leads to the formula:

$$\omega(n,n-1) = \frac{hn}{2\pi m a^2} \quad . \tag{66}$$

The energy is

$$W = \frac{m}{2}v^2 \tag{67}$$

or, from Eq. 20, 21

$$W = \frac{m}{2}a^2\frac{\omega^2(n,n-1) + \omega^2(n+1,n)}{2} = \frac{h^2}{8\pi^2 m a^2}(n^2 + n + \frac{1}{2}) \quad , \tag{68}$$

which again satisfies the condition $\omega(n,n-1) = \frac{2\pi}{h}\left[W(n) - W(n-1)\right]$. As support for the validity of Eq. 66 and 68, which differ from those of the usual theory, it can be seen that according to Kratzer[4], many band spectra (also those where the existence of an electron momentum is improbable) seem to require formulae of the type of Eq. 66, 68 (which we up to now tried to explain in the context of the classical-mechanical theory with half integer quantization). In order to obtain the Goudsmit-Kronig-Hönl formula for the rotator we have to leave the field of one degree of freedom problems and assume that the rotator is subject to a very slow precession around the z-axis of an external field, whatever its direction in space is. Let the quantum

[4]Cf. for example, B.A. Kratzer, Sitzungsber. d. Bayr. Akad. (1922) p 107.

number of the corresponding precession be m. The motion is then represented by the quantities

$$z : a(n, n-1; m, m) \cos \omega(n, n-1)t; \tag{69}$$

$$x + iz : b(n, n-1; m, m-1)e^{i[\omega(n,n-1)+\phi]t}; \tag{70}$$

$$b(n, n-1; m-1, m)e^{i[-\omega(n,n-1)+\phi]t} \quad . \tag{71}$$

$$\tag{72}$$

The equations of motion are simply:

$$x^2 + y^2 + z^2 = a^2 \quad , \tag{73}$$

and because of Eq. 20 this leads to the equations: [5]

$$\frac{1}{2}\left\{\frac{1}{2}a^2(n, n-1; m, m) + b^2(n, n-1; m, m-1) + b^2(n, n-1; m, m+1)\right. \tag{74}$$

$$\left.+\frac{1}{2}a^2(n+1, n; m, m) + b^2(n+1, n; m-1, m) + b^2(n+1, n; m+1, m)\right\} = a^2 \quad . \tag{75}$$

$$\frac{1}{2}a(n, n-1; m, m)a(n-1, n-2; m, m) \tag{76}$$

$$= b(n, n-1; m, m+1)b(n-1, n-2; m+1, m) \tag{77}$$

$$+b(n, n-1; m, m-1)b(n-1, n-2; m-1, m) \quad . \tag{78}$$

Concerning this, from Eq. 34 comes the quantum relation:

$$2\pi m \left\{b^2(n, n-1; m, m-1)\omega(n, n-1)\right. \tag{79}$$

$$\left.-b^2(n, n-1; m-1, m)\omega(n, n-1)\right\} = (m + \text{const})h \quad . \tag{80}$$

The classical relations corresponding to these equations:

$$\left.\begin{array}{l} \frac{1}{2}a_0^2 + b_1^2 + b_{-1}^2 = a^2; \\ \frac{1}{4}a_0^2 = b_1 b_{-1}; \\ 2\pi m(b_{+1}^2 - b_{-1}^2)\omega = (m + \text{const})h \end{array}\right\} \tag{81}$$

are sufficient (up to the undetermined constant added to m) for uniquely determine a_0,b_1 and b_{-1}.

---

[5]Eq. 75 is essentially identical to the Ornstein-Burger sum rules.

The simplest solution of the quantum-theoretical equations 75, 78, 80 which presents itself is:

$$b(n, n-1; m, m-1) = a\sqrt{\frac{(n+m+1)(n+m)}{4(n+\frac{1}{2}n)}} \quad ; \tag{82}$$

$$b(n, n-1; m-1, m) = a\sqrt{\frac{(n-m)(n-m+1)}{4(n+\frac{1}{2}n)}} \quad ; \tag{83}$$

$$a(n, n-1; m, m) = a\sqrt{\frac{(n+m+1)(n-m)}{(n+\frac{1}{2}n)}} \quad ; \tag{84}$$

These expressions agree with the formulae of Goudsmit, Kronig and Hönl. However, it is not easy to see that these expressions represent the only solution of equations 75, 78, 80 though this looks likely to me from considering the boundary conditions (vanishing of a and b at the "boundary"; cf. the previously cited works of Kroning, Sommerfeld and Hönl, Russel).

Similar considerations to the above, applied to the multiplet intensity formulae lead to the result that these intensity rules are in agreement with Eq. 20 and 34. This result can again be regarded as giving support to the correctness pf the kinematic equation 20.

Whether a method to determine quantum-theoretical data using relations between observable quantities as proposed here, can be regarded as satisfactory in principle, or whether this method indeed after all represents a too rough approach to the physical problem of constructing a theoretical quantum mechanics, an obviously very involved problem at the moment, can be decided only by a more deep mathematical investigation of the method which has been very superficially employed here.

Göttingen, Institut für theoretische Physik.

논문 웹페이지

THE

PHYSICAL REVIEW

AN UNDULATORY THEORY OF THE MECHANICS OF ATOMS AND MOLECULES

BY E. SCHRÖDINGER

ABSTRACT

The paper gives an account of the author's work on a new form of quantum theory. §1. The Hamiltonian analogy between mechanics and optics. §2. The analogy is to be extended to include real "physical" or "undulatory" mechanics instead of mere geometrical mechanics. §3. The significance of wave-length; macro-mechanical and micro-mechanical problems. §4. The wave-equation and its application to the hydrogen atom. §5. The intrinsic reason for the appearance of discrete characteristic frequencies. §6. Other problems; intensity of emitted light. §7. The wave-equation derived from a Hamiltonian variation-principle; generalization to an arbitrary conservative system. §8. The wave-function physically means and determines a continuous distribution of electricity in space, the fluctuations of which determine the radiation by the laws of ordinary electrodynamics. §9. Non-conservative systems. Theory of dispersion and scattering and of the "transitions" between the "stationary states." §10. The question of relativity and the action of a magnetic field. Incompleteness of that part of the theory.

1. The theory which is reported in the following pages is based on the very interesting and fundamental researches of L. de Broglie[1] on what he called "phase-waves" ("ondes de phase") and thought to be associated with the motion of material points, especially with the motion of an electron or proton. The point of view taken here, which was first published in a series of German papers,[2] is rather that material points consist of, or are nothing but, wave-systems. This extreme conception may be wrong, indeed it does not offer as yet the slightest explanation of why only such wave-systems seem to be realized in nature as correspond to mass-points of definite mass and charge. On the other hand the opposite point of view, which neglects altogether the waves discovered by L. de Broglie and treats only the motion of material points, has led to such grave difficulties in the theory of atomic mechanics

[1] L. de Broglie, Ann. de Physique **3,** 22 (1925).

[2] E. Schrödinger, Ann. d. Physik **79,** 361, 489, 734; **80,** 437 **81,** 109 (1926); Die Naturwissenschaften **14,** 664 (1926).

—and this after century-long development and refinement—that it seems not only not dangerous but even desirable, for a time at least, to lay an exaggerated stress on its counterpart. In doing this we must of course realize that a thorough correlation of all features of physical phenomena can probably be afforded only by a harmonic union of these two extremes.

The chief advantages of the present wave-theory are the following.

a. The laws of motion and the quantum conditions are deduced simultaneously from one simple Hamiltonian principle.

b. The discrepancy hitherto existing in quantum theory between the frequency of motion and the frequency of emission disappears in so far as the latter frequencies coincide with the differences of the former. A definite localization of the electric charge in space and time can be associated with the wave-system and this with the aid of ordinary electrodynamics accounts for the frequencies, intensities and polarizations of the emitted light and makes superfluous all sorts of correspondence and selection principles.

c. It seems possible by the new theory to pursue in all detail the so-called "transitions," which up to date have been wholly mysterious.

d. There are several instances of disagreement between the new theory and the older one as to the particular values of the energy or frequency levels. In these cases it is the new theory that is better supported by experiment.

To explain the main lines of thought, I will take as an example of a mechanical system a material point, mass m, moving in a conservative field of force $V(x, y, z)$. All the following treatment may very easily be extended to the motion of the "image-point," picturing the motion of a wholly arbitrary conservative system in its "configuration-space" (q-space, not pq-space). We shall effect this generalization in a somewhat different manner in Section 7. Using the usual notations the kinetic energy T is

$$T=\tfrac{1}{2}m(\dot{x}^2+\dot{y}^2+\dot{z}^2)=(1/2m)(p_x^2+p_y^2+p_z^2). \quad (1)$$

The well-known Hamiltonian function of action W,

$$W=\int_{t_0}^{t}(T-V)dt, \quad (2)$$

taken as a function of the upper limit t and of the final values of the coordinates x, y, z satisfies the Hamiltonian partial differential equation,

$$\partial W/\partial t+(1/2m)\left[(\partial W/\partial x)^2+(\partial W/\partial y)^2+(\partial W/\partial z)/^2\right]+V(x,y,z,)=0. \quad (3)$$

To solve this equation, we put as usual

$$W = -Et + S(x, y, z), \tag{4}$$

E being an integration constant, viz., the total energy, and S a function of x, y, z only. Eq. (3) may then be written

$$|\,\mathrm{grad} W\,| = [2m(E-V)]^{\frac{1}{2}}. \tag{5}$$

In this form it lends itself to a very simple geometrical interpretation. Assume t constant for the moment. Any function W of space alone can be described by giving geometrically the system of surfaces on which W is constant and by writing down on each one of these surfaces the constant value, say W_0, which the function W takes on it. On the other hand, we can easily construct a solution of Eq. (5) starting from an arbitrary surface and an arbitrarily chosen value W_0, which we ascribe to it. For after having chosen starting surface and starting value and after—still arbitrarily—having designated one of its two sides or "shores" as the positive one, we simply have to extend the normal at every point of the chosen surface to the length, say

$$dn = dW_0/[2m(E-V)]^{\frac{1}{2}}.$$

The totality of points arrived at in this way will fill a surface to which we obviously have to ascribe the value $W_0 + dW_0$. The continuation of this procedure will supply us the whole system of surfaces and values of constants belonging to them, i.e. the whole distribution in space of the function W, at first for t constant.

Now let the time vary, Eq. (4) shows that the system of surfaces will not vary, but that the values of the constants will travel along the normals from surface to surface with a certain speed u, given by

$$u = E/[2m(E-V)]^{\frac{1}{2}}. \tag{6}$$

The velocity u is a function of the energy-constant E and besides, since it contains $V(x,y,z)$ is a function of the coordinates.

Instead of thinking of the surfaces as fixed in space and letting the values of the constant wander from surface to surface, we may equally well think of a certain numerical value of W as attached to a certain individual surface and let the surfaces wander in such a way that each of them continually takes the place and exact form of the following one. Then the quantity u, given by Eq. (6) will denote the normal-velocity of any surface at any one of its points. Adopting this view we arrive at a picture which exactly coincides with the propagation of a stationary wave-system in an optically non-homogeneous (but isotropic) medium, W being proportional to the phase and u being the phase-velocity. (The index of refraction would have to be taken proportional to u^{-1}.) The above-mentioned construction of normals dn is obviously equivalent to Huygens' principle. The orthogonal curves of our system of W-surfaces form a system of rays in our optical picture; they are possible orbits of the material point in the mechanical problem. Indeed it is well known that

$$p_x = m\dot{x} = \partial W/\partial x \tag{7}$$

(with two analogous equations for y and z). It may be useful, to remark, that the phase-velocity u is not the velocity of the material point. The latter is, by (7) and (5)

$$v = (\dot{x}^2 + \dot{y}^2 + \dot{z}^2)^{\frac{1}{2}} = [2(E-V)/m]^{\frac{1}{2}}. \tag{8}$$

Comparing (6) and (8) we see, that u and v vary even inversely to each other. The well-known mechanical principle due to and named after Hamilton can very easily be shown to correspond to the equally well-known optical principle of Fermat.

2. Nothing of what has hitherto been said is in any way new. All this was very much better known to Hamilton himself than it is in our day to a good many physicists. Indeed, the theory of the propagation of light in a non-homogeneous medium, which Hamilton had developed about ten years earlier, became, by the striking analogy which occurred to him, the starting-point for his famous theories in pure mechanics. Notwithstanding the great popularity reached by the latter, the way which had led to them was nearly forgotten.[3] Stress must now be laid on the fact, that though in our above-stated reasoning such conceptions as "wave-surfaces," "Huygens' principle," "Fermat's principle" come into play, nevertheless the whole established analogy deals rather with geometrical optics than with real physical or undulatory optics. Indeed the chief and fundamental mechanical conception is that of the path or orbit of the material particle, and it corresponds to the conception of rays in the optical analogy. Now the conception of rays is thoroughly well-defined only in pure abstract geometrical optics. It loses nearly all significance in real physical optics as soon as the dimensions of the beam or of material obstacles in its path become comparable with the wave-length. And even when this is not the case, the notion of rays is, in

[3] See F. Klein, Jahresber. d. Deutsch. Math. Ver. 1 (1891); Zeits. f. Math. u. Phys. **46** (1901); (Ges. Abh. II, 601, 603); E. T. Whittaker, Analytical Dynamics, Chap. 11. A. Sommerfeld, Atombau, German ed., p. 803. The analogy has been rediscovered in relativistic mechanics in the paper of L. de Broglie, quoted above.

physical optics, merely an approximate one. It is wholly incapable of being applied to the fine structure of real optical phenomena, i.e. to the phenomena of diffraction. Even in extending geometrical optics somewhat by adding the notion of Huygens' principle (in the simple form, used above) one is not able to account for the most simple phenomena of diffraction without adding some further very strange rules concerning the circumstances under which Huygens' envelope-surface is or is not physically significant. (I mean the construction of "Fresnel's zones.") These rules would be wholly incomprehensible to one versed in geometrical optics alone. Furthermore it may be observed that the notions which are fundamental to real physical optics, i.e. the wave-function itself (W is merely the phase), the equation of wave-propagation, the wave-length and frequency of the waves, do not enter at all into the above stated analogy. The phase-velocity u does enter but we have seen that it is not very intimately connected with the mechanical velocity v.

At first sight it does not seem at all tempting, to work out in detail the Hamiltonian analogy as in real undulatory optics. By giving the wave-length a proper well-defined meaning, the well-defined meaning of rays is lost at least in some cases, and by this the analogy would seem to be weakened or even to be wholly destroyed for those cases in which the dimensions of the mechanical orbits or their radii of curvature become comparable with the wave-length. To save the analogy it would seem necessary to attribute an exceedingly small value to the wave-length, small in comparison with all dimensions that may ever become of any interest in the mechanical problem. But then again the working out of an undulatory picture would seem superfluous, for geometrical optics is the real limiting case of undulatory optics for vanishing wave-length.[4]

Now compare with these considerations the very striking fact, of which we have today irrefutable knowledge, that ordinary mechanics is really not applicable to mechanical systems of very small, viz. of atomic dimensions. Taking into account this fact, which impresses its stamp upon all modern physical reasoning, is one not greatly tempted to investigate whether the non-applicability of ordinary mechanics to micro-mechanical problems is perhaps of exactly the same kind as the non-applicability of geometrical optics to the phenomena of diffraction or interference and may, perhaps, be overcome in an exactly similar way? The conception is: the Hamiltonian analogy has really to be worked out towards undulatory optics and a definite size is to be at-

[4] A. Sommerfeld and I. Runge, Ann. d. Physik **35**, 290 (1911).

tributed to the wave-length in every special case. This quantity has a real meaning for the mechanical problem, viz. that ordinary mechanics with its conception of a moving point and its linear path (or more generally of an "image-point" moving in the coordinate space) is only approximately applicable so long as they supply a path, which is (and whose radii of curvature are) large in comparison with the wave-length. If this is not the case, it is a phenomenon of wave-propagation that has to be studied. In the simple case of one material point moving in an external field of force the wave-phenomenon may be thought of as taking place in the ordinary three-dimensional space; in the case of a more general mechanical system it will primarily be located in the coordinate space (q-space, not pq-space) and will have to be projected somehow into ordinary space. At any rate the equations of ordinary mechanics will be of no more use for the study of these micro-mechanical wave-phenomena than the rules of geometrical optics are for the study of diffraction phenomena. Well known methods of wave-theory, somewhat generalized, lend themselves readily. The conceptions, roughly sketched in the preceding are fully justified by the success which has attended their development.

3. Let us return to the system of W-surfaces, dealt with in Section 1 and let us associate with them the idea of stationary sinusoidal waves whose phase is given by the quantity W, Eq. (4). The wave-function, say ψ, will be of the form

$$\begin{aligned}\psi &= A(x,y,z)\sin(W/K)\\ &= A(x,y,z)\sin[-Et/K+S(x,y,z)/K],\end{aligned} \tag{9}$$

A being an "amplitude" function. The constant K must be introduced and must have the physical dimension of *action* (energy×time), since the argument of a sine must always be a pure number. Now, since the frequency of the wave (9) is obviously

$$\nu = E/2\pi K \tag{10}$$

one cannot resist the temptation of supposing K to be a *universal constant*, independent of E and independent of the nature of the mechanical system, because if this be done and K be given the value $h/2\pi$, then the frequency ν will be given by

$$\nu = E/h, \tag{11}$$

h being Planck's constant. Thus the well known universal relation between energy and frequency is arrived at in a rather simple and unforced way.

In ordinary mechanics the absolute value of the energy has no definite meaning, only energy-differences have. This difficulty can be met and a zero-level of energy can be defined in an entirely satisfactory way by using relativistic mechanics and the conception of equivalence of mass and energy.[1] But it is unnecessary to dwell on this subject here. While the frequency ν of our waves by Eq. (10) or (11) is indeed dependent on the zero-level of energy, their wave-length is not. And after what has been said above, it is the wave-length that is of greatest interest. The comparison of this quantity with the dimensions of the path or orbit of the material particle, calculated according to ordinary mechanics, will tell us whether the latter calculation is or is not of physical significance, whether the methods of ordinary mechanics are approximately applicable to the special problem or not. The wave-length λ by (11) and (6) is

$$\lambda = u/\nu = h/[2m(E-V)]^{\frac{1}{2}} \quad (12)$$

Here $E-V$ is the kinetic energy $\frac{1}{2}mv^2$ which indeed is independent of the zero-level of the total energy. Inserting its value we have

$$\lambda = h/mv. \quad (13)$$

To test the question whether an electron, moving in a Keplerian orbit of atomic dimensions may, following our hypotheses, still be dealt with by ordinary mechanics, let a be a length of atomic dimensions and compare λ with a.

$$\lambda/a = h/mva \quad (14)$$

The denominator on the right is certainly of the order of magnitude of the moment of momentum of the electron, and the latter is well known to be of the order of magnitude of Planck's constant for a Keplerian orbit of atomic dimensions. So λ/a becomes of the order of unity and, following our conceptions, ordinary mechanics will be no more applicable to such an orbit than geometrical optics is to the diffraction of light by a disk of diameter equal to the wave-length. Were a physicist to try to understand the latter phenomenon by the conception of rays, with which he is acquainted from macroscopic geometrical optics, he would meet with most serious difficulties and apparent contradictions. The "rays" (stream lines of the flow of energy) would no longer be rectilinear and would influence one another in a most curious way, in full contradiction with the most fundamental laws of geometrical optics. In the same way the conception of orbits of material points seems to be inapplicable to orbits of atomic dimensions. It is very satisfactory, that the limit of applicability of ordinary mechanics is, by equating K (essentially) to Planck's constant (Eq. 11), determined to an order of magnitude, which is exactly the one to be postulated, if the new conception is to help us in our quantum difficulties. We may add, that by Eq. (13) for a Keplerian electronic orbit of the order of magnitude of a high quantum orbit, the relation of wave-length to orbital dimensions becomes of the order of magnitude of the reciprocal of the quantum number. Hence ordinary mechanics will offer a better and better approximation in the limit of increasing quantum number (or orbital dimensions), and this is just what is to be expected from any reasonable theory.

By the fundamental equation $\nu = E/h$ (Eq. 11) the phase velocity u, given by Eq. (6) proves to be dependent on the frequency ν. Therefore Eq. (6) is an equation of dispersion. By this a very interesting light is thrown on the relation of the two velocities (1) velocity v of the moving particle, Eq. (8); (2) phase-velocity u, Eq. (6). v is easily proved to be exactly the so-called group velocity belonging to the dispersion formula (6).[5] By using this interesting result it is possible to form an idea how ordinary mechanics is capable of giving an approximate description of our wave motion. By superposing waves of frequencies in a small interval ν; $\nu + d\nu$ it is possible to construct a "parcel of waves," the dimensions of which are in all directions rather small, though they must be rather large in comparison to the wave-length. Now it can be proved, that the motion of—let us say—the "center of gravity" of such a parcel will, by the laws of wave propagation, follow exactly the same orbit as the material point would by the laws of ordinary mechanics. This equivalence is always maintained, even if the dimensions of the orbit are not large in comparison with the wave-length. But in the latter case it will have no significance, the wave parcel being spread out in all directions far over the range of the orbit. On the contrary, if the dimensions of the orbit are comparatively large, the motion of the wave parcel as a whole may afford a sufficient idea of what really happens, if we are not interested in its intrinsic constitution. As stated above this "motion as a whole" is governed by the laws of ordinary mechanics.

4. We shall not dwell on this question further, but proceed to the far more interesting applications of the theory to micro-mechanical problems. As stated above, the wave-phenomena must in this case be studied in detail. This can only be done by using an "equation of wave propagation." Which one is this to be? In the case of a single material point, moving in an external field of force, the simplest way is to try to use the ordinary wave-equation

[5] This important theorem is due to L. de Broglie, l.c. The relation is: $v = d\nu / d(\nu/u)$

$$\Delta\psi - \ddot{\psi}/u^2 = 0 \tag{15}$$

and to insert for u the quantity given by Eq. (6), which depends on the space coordinates (through the potential energy V) and on the frequency E/h. The latter dependence restricts the use of (15) to such functions ψ as depend on the time only through the factor $e^{\pm 2\pi i t E/h}$. (A similar restriction is always imposed on the wave equation, as soon as we have dispersion.) So we shall have

$$\ddot{\psi} = -4\pi^2 E^2 \psi / h^2$$

Inserting this and Eq. (6) in Eq. (15) we get

$$\Delta\psi + 8\pi^2 m(E - V)\psi / h^2 = 0, \tag{16}$$

where ψ may be assumed to depend on x, y, z only. (We omit changing the notation of the dependent variable, which we really ought to do.)

Now what are we to do with Eq. (16)? At first sight this equation seems to offer ill means of solving atomic problems, e.g. of defining discrete energy-levels in the hydrogen atom. Being a partial differential equation, it offers a vast multitude of solutions, a multitude of even a higher transcendent order of magnitude than the system of solutions of the ordinary differential equations of ordinary mechanics. But the deficiency of the latter in atomic problems consisted, as is well known, by no means in that they supplied too small a number of possible orbits, but quite on the contrary, much too many. To select a discrete number of them as the "real" or "stationary" ones is, according to the view hitherto adopted, the task of the "quantum-conditions." Our wave equation (16), by augmenting the possibilities indefinitely, instead of restricting them, seems to lead us from bad to worse.

Happily because of the very interesting character which Eq. (16) takes in actual atomic problems, this fear proves to be erroneous. Putting for instance

$$V = -e^2/r, \tag{17}$$

(e = electronic charge, $r = (x^2 + y^2 + z^2)^{\frac{1}{2}}$, we get for the simplified hydrogen atom or one body problem:

$$\Delta\psi + 8\pi^2 m(E + e^2/r)\psi / h^2 = 0. \tag{18}$$

Now this equation for a great part of the possible values of the energy or frequency constant E, proves to offer no solution at all which is continuous, finite and single-valued throughout the whole space; for the E-values in question, every solution ψ, that satisfies the two other conditions (viz. continuity and single-valuedness) grows beyond all limits either in approaching infinity or in approaching the origin of coordinates. The only E-values, for which this is not the case i.e. for which solutions exist, that are continuous, finite and single-valued throughout the whole space are the following ones

$$\begin{aligned} &(1) \qquad E>0 \\ &(2) \qquad E=-2\pi^2 me^4/h^2n^2 \qquad (n=1,2,3,4\cdots) \end{aligned} \tag{19}$$

The first set corresponds to the hyperbolic orbits in ordinary mechanics. It is the general view, that according to ordinary quantum theory the hyperbolic orbits are not submitted to quantization. In our treatment this turns out quite spontaneously from the fact that every positive value of E leads to finite solutions. The second set corresponds exactly to Bohr's stationary energy levels of the elliptic orbits.

Though I cannot enter here upon the exact and rather tiresome proof of the foregoing statements, it may be interesting to describe in rough feature the solutions belonging to the second series of E-levels. The solution may be performed in three-dimensional[6] polar coordinates, by assuming ψ to be a product of a function of the polar angles and a function of the radius r only. The former is a spherical surface harmonic whose order, increased by unity, corresponds to the azimuthal quantum number. The functions of r, which come into play, somewhat resemble (in rough feature) the Bessel functions, though with the difference that they have but a finite number of positive roots, and this number exactly corresponds to the radial quantum number. These roots lie within a region from the origin of about the same order of magnitude as the corresponding Bohr orbit. After having passed the last root with increasing r and a maximum or minimum not far away from it, the function tends to diminish exponentially as r approaches infinity. So the whole of the wave-phenomenon, though mathematically spreading throughout all space, is essentially restricted to a small sphere of a few Angstroms diameter which may be called "the atom" according to undulatory mechanics. Any one of the above mentioned solutions (consisting of a product of a spherical surface-harmonic and a function of r only) greatly resembles a fundamental vibration of an elastic sphere, with a finite number of (1) spheres, (2) cones, (3) planes as "node surfaces." But it is surely not permissible to think that the wave-motion constituting the atom is, in general, restricted to one of these solutions, the special selection and separation of which is very much influenced by the choice

[6] It is of course not allowed to restrict the problem to two dimensions as in ordinary mechanics since the wave-phenomenon is essentially three-dimensional.

of coordinates. To every one of the discrete values of E belongs a finite number of special solutions. In forming a linear aggregate of them with arbitrary constant multipliers we get the most general solution of Eq. (18) for the particular value of E. The number of arbitrary constants entering into this aggregate is exactly equal to what is called the "statistical weight" of this energy-level, or in other words, to the number of separate levels into which it is split up according to Bohr's theory (and, by the way, also according to the present theory) by the addition of perturbing forces, that do away with the so-called "degeneration" of the problem. It will perhaps be remembered, that in ordinary quantum theory the number of states that is supplied by the method alluded to, is not exactly correct. Definite experimental evidence compels us to exclude by additional reasoning, more or less convincing from the theoretical point of view, a definite number of states, viz. those which have the equatorial quantum number zero. It is gratifying to be able to state, that according to the present theory the above mentioned number of arbitrary constants or, in other words, the number of separate levels or frequencies into which a degenerated E-level is split up by a perturbing potential is quite correct from the beginning. The theory needs no supplementation since it precludes a vibrational state corresponding to a Bohr-orbit with equatorial quantum number zero.

To complete this description we may add, that to the lowest E-level, or from the wave-motion point of view its "fundamental tone" which corresponds to the normal state of the atom, there belongs but one mode of vibration, and this is a very simple one; the function ψ shows complete spherical symmetry and there are no node surfaces at all. Both the radial quantum number as well as the order of the spherical surface harmonic vanish.

5. I should like to discuss in a few words the question, why Eq. (18) possesses finite solutions only for certain selected values of the constant E. The whole behavior described on the foregoing pages would be quite familiar to every physicist, if the problem were a so-called "boundary-condition problem," i.e. if the function ψ were required only in the interior of a given surface, let us say a sphere of given radius and had to fulfill certain conditions on the boundary of this sphere, e.g. to vanish. Now though this is not the case, the problem is indeed equivalent to a boundary-condition problem, the boundary being the infinite sphere. Thus the selected values (19) are quite properly to be named "characteristic values" and the solutions, that belong to them, "characteristic functions" of the problem connected with Eq. (18). The mathematical

reason,[7] why no boundary conditions in the proper sense of the word are neither needed nor allowed at the infinite boundary, is that a singular point of Eq. (18) is approached when we recede in any direction in space toward infinity. This can easily be seen by splitting up the equation in the way described above, using polar coordinates. The resulting ordinary differential equation with the variable r has two singularities, at $r=0$ and at $r=\infty$. It offers (for negative values of E) but one solution that remains finite at $r=0$, and but one that remains finite at $r=\infty$. These two solutions are in general not identical, but they are for the selected values of E given by (19).

But instead of dwelling on this purely mathematical side of the subject, I should like to present an idea why Eq. (18) shows such a queer behavior so as to make the matter clear to anyone who is acquainted only with the most general principles of wave theory. If E is negative the bracket in Eq. (18) will be negative outside a certain sphere. Now remembering the way in which Eq. (18) was derived from Eq. (15), we see that a negative value of the bracket in (18) clearly means a negative value of the square of wave-velocity, or an imaginary value of wave-velocity. What does this imply? The Laplacian operator is well known to be intimately connected with the average excess of the neighboring values over the value of the function at the point considered. Thus the ordinary wave-equation (15) with a positive value of u^2 provides an accelerated increase (or a retarded decrease) of the function at all those points, where its value is lower than the average of the neighboring values; and, vice versa, a retarded increase (or an accelerated decrease) at those points where the function exceeds the average of its neighborhood. Thus the ordinary wave-equation represents a certain tendency to smooth out again all differences between the values of the function at different points, though not at the very moment they appear and not indefinitely—as in the case of the equation for heat conduction. It will however certainly prevent the function from increasing or decreasing beyond all limit.

If the quantity u^2, instead of being positive, is negative which we have seen to be sometimes the case with Eq. (18), then all the foregoing reasoning is just reversed. There is in the course of time a tendency to exaggerate infinitely all "humps" of the function and even spontaneously to form humps out of quite insignificant traces. Evidently a function which is subject to such a revolutionary sort of equation, is continually

[7] See e.g. R. Courant and D. Hilbert, Methoden der mathematischen Physik I (Berlin, Springer 1924), Chap. 5, §9, p. 1.

exposed to the very highest danger of increasing or decreasing beyond all limit. At any rate it is no longer astonishing, that special conditions must be fulfilled to prevent such an occurrence. The mathematical treatment shows that these conditions consist exactly in E having one of the second set of characteristic values given by (19), whereas the first set obviously prevents all accidents by making the square of the phase-velocity positive throughout the space.

6. I will now give an account of some of the results that have hitherto been obtained with this new mechanics. Rather simple problems are offered by the harmonic oscillator and the rotator. The E-levels of the former prove to be

$$(n+\tfrac{1}{2})h\nu_0\,; \qquad n=0,1,2,3\cdots$$

instead of $nh\nu_0$ according to the ordinary quantum theory. The E-levels of the rotator are

$$n(n+1)h^2/8\pi^2 I$$

(I=moment of inertia), the well known n^2 being replaced by $n(n+1)$. If we are interested only in the differences of levels—as is actually the case—this amounts to the same as replacing n^2 by $(n+\frac{1}{2})^2$, for

$$(n+\tfrac{1}{2})^2-n(n+1)=\tfrac{1}{4},$$

independent of n. It is well known that so-called half-quantum numbers are actually supported by the experimental evidence on most of the simple band spectra, and are probably contradicted by none of them. Mr. Fues, whose valuable help I owe to the Rockefeller Institution (International Education Board), has worked out[8] the band theory of diatomic molecules in detail, taking into account the mutual influence of rotation and oscillation and the fact, that the latter is not of the simple harmonic type. The result is in exact agreement with the ordinary treatment except that the quantum-numbers become half-integer also in all correction-terms. It would hardly have been possible to attack the problem just mentioned, as well as many similar ones, by direct methods, since the differential equation (16) is in general of a very difficult type. In many cases, however, this difficulty is overcome by the theory of perturbations which the writer has developed together with Mr. Fues. This theory, though much simpler, yet shows an interesting parallelism to the well known theory of perturbations in ordinary mechanics. It allows the calculation by mere quadratures of the small modification of characteristic values and characteristic functions, that are caused by

[8] E. Fues, Ann. d. Physik **80**, 367 (1926); another paper in press.

introducing an additional small term (function of the independent variables) in the coefficients of an equation whose characteristic values and characteristic functions are known.

An interesting example of the application of this mathematical theory is afforded by the perturbation of the hydrogen-atom caused by an external homogeneous electric field (Stark-effect). The discrete Balmer levels, shown in Eq.(19-2) are, as characteristic values, not simple but many fold. Each of them corresponds to n^2 characteristic values that coincide by chance or, more properly speaking, because of the high symmetry or simplicity of the coefficients of Eq. (18). The addition of an external electric field, small in comparison with the atomic field, does away with this symmetry and splits up every one of the Balmer-levels into a set of near neighboring levels, though not into as many as n^2, because the splitting up in this case is not thorough. The writer has been able to show that these levels exactly coincide with those given by the well known formula of Epstein, a rather severe test of our undulatory mechanics, since experimentally no deviation whatever, at least in the limit of a weak field, would have been allowed from this famous formula.

But not only the levels, i.e. the frequencies, but also the intensities and polarizations of the emitted lines in the Stark effect can be calculated from undulatory mechanics in very fair agreement with experiment. Hitherto we have not attached a definite physical meaning to the wave-function ψ. It is possible, however, to give it a certain electrodynamical meaning, which will be discussed in detail in Section 8 and which converts our atom into a system of fluctuating charges, spread out continuously in space and generating a resultant electric moment, that changes with time with a superposition of frequencies, which exactly coincide with the differences of the vibration-frequencies E/h, i.e. coincide with the frequencies of the emitted light. This in itself is highly satisfactory. But in addition it is possible to calculate the amplitudes of the harmonic components of the electric moment for any direction in space, e.g., in the case of the Stark effect, parallel to the electric field or perpendicular to the field. If the theory is correct, the squares of these amplitudes ought to be proportional to the intensities of the several line components, polarized in either direction. The rather laborious calculations have been performed and the result is shown in Fig. 1.[9] In comparing theory with experiment it must be born in mind that the calculations have been performed only in the limit of a very weak external

[9] The experimental data were taken from I. Stark, Ann. d. Physik **48**, 193 (1915). In these figures theoretical intensities that are too small to be indicated by a line of the proper length are marked by a dot.

field and that in the region of field-strength used in experiments (about 100,000 volts/cm) a very marked influence on the intensities is found both by experiment and by theory. In particular the very weak or vanishing components are enhanced with increasing field. The sum of the intensities of all the perpendicular components of one Balmer line turns out exactly equal to the sum of the parallel components of the same line. This is in full agreement with Stark's statement that no polarization of the emitted light as a whole is produced by the field.

I ought to emphasize here, that I was led to the foregoing nearly classical calculation of intensities by noticing *a posteriori*, i.e. after the main features of undulatory mechanics had been developed, its complete mathematical agreement with the theory of matrices put forward by Heisenberg, Born and Jordan.[10] The results shown in Fig. 1 may as well be called the results of the latter theory though they have not yet been calculated by its direct application. The connection of the two theories is a rather intricate one and is by no means to be observed at first sight.

7. It was stated in the beginning of this paper that in the present theory both the laws of motion and the quantum conditions can be deduced from one Hamiltonian principle. To prove this it must be shown that the wave-equation (16) can be derived from an integral-variation principle; for this equation is indeed the only fundamental equation of the theory (in the case of a single material point, moving in a conservative field of force, the only one considered in detail on the foregoing pages).

The connection of Eq. (16) with a Hamiltonian principle is very simple and almost exactly the same as in ordinary vibration problems. Furthermore this connection affords the simplest means of almost cogently extending the theory to a wholly arbitrary conservative system.

Suppose, the extreme values of the following integral extending over all space were required.

$$I_1=\iiint\{h^2[(\partial\psi/\partial x)^2+(\partial\psi/\partial y)^2+(\partial\psi/\partial z)^2]/8\pi^2m+V\psi^2\}\,dxdydz, \tag{20}$$

all single-valued, finite and continuously differentiable functions ψ being "admitted to concurrence" that give the following "normalizing" integral a constant value, say 1:

[10] W. Heisenberg, Zeits. f. Physik **33,** 879 (1925); M. Born and P. Jordan, ibid. **34,** 858 (1925); M. Born, P. Jordan and W. Heisenberg, ibid. **35,** 557 (1926); M. Born and N. Wiener, ibid. **36,** 174 (1926); W. Heisenberg and P. Jordan, ibid. **37,** 263 (1926); W. Pauli, Jr., ibid. **36,** 336 (1926); P. A. M. Dirac, Proc. Roy. Soc. **109,** 642 (1925); **110,** 561 (1925); **111,** 281, 405 (1926).

$$I_2=\iiint \psi^2 dxdydz=1 \tag{21}$$

In carrying out the variation under this "accessory condition" in the well known manner, Eq. (16) is found as the well known necessary condition for an extreme value of (20) the constant $-E$ being the Lagrangian multiplier with which the variation of the second integral has to be multiplied and added to the first, so as to take care of the accessory condition. Thus the normalized characteristic functions of Eq. (16) are exactly the so-called extremals of the integral (20) under the normalizing condition (21), whereas the characteristic values i.e. the values, that are admissible for the constant E are nothing else than the extreme values of integral (20). (This property of the Langrangian multiplier is well known and is easily recognized by observing, that the non-conditioned, extreme value of I_1-EI_2 can be but zero, any other value being capable as well of augmentation as of diminution by simply multiplying ψ by a constant.)

Now the integrand of (20) proves on closer inspection to have a very simple relation to the ordinary Hamiltonian function of our mechanical problem—in the sense of ordinary mechanics. The said function is, (cf. Section 1):

$$(1/2m)(p_x^2+p_y^2+p_z^2)+V(x,y,z). \tag{22}$$

Take this function to be a homogeneous quadratic function of the momenta p_x etc. and of unity and replace therein p_x, p_y, p_z, 1 by $(h/2\pi)$ $(\partial\psi/\partial x)$, $(h/2\pi)$ $(\partial\psi/\partial y)$, $(h/2\pi)$ $(\partial\psi/\partial z)$, ψ, respectively. There results the integrand of (20). This immediately suggests extending our variation problem and hereby our wave-equation (16) to a wholly arbitrary conservative mechanical system. The Hamiltonian function of such will be of the form

$$\frac{1}{2}\sum_{l=1}^{N}\sum_{k=1}^{N} a_{lk}p_l p_k+V \tag{23}$$

with $a_{lk}=a_{kl}$, the a_{lk} and V being some functions of the N generalized coordinates $q_1 \cdots q_N$. Take (23) to be a homogeneous quadratic function of $p_1 \cdots p_N$, 1 and replace these quantities by $(h/2\pi)$ $(\partial\psi/\partial q_1)$, $\cdots$ $(h/2\pi)$ $(\partial\psi/\partial q_N)$, ψ respectively. Writing Δ_p for the determinant

$$\Delta_p=\left|\sum\pm a_{ik}\right|$$

we form the integral

$$I_1=\int\cdots\int\Big[(h^2/8\pi^2)\sum_l\sum_k a_{lk}(\partial\psi/\partial q_l)(\partial\psi/\partial q_k) + V\psi^2\Big]\Delta_p^{-\frac{1}{2}}dq_1\cdots dq_N \tag{24}$$

taken over the whole space of coordinates and seek its extreme values under the accessory condition

$$I_2=\int \cdot \cdot \cdot \int \psi^2\Delta_p^{-\frac{1}{2}}dq_1 \cdot \cdot \cdot dq_N=1 \tag{25}$$

This leads to the generalization of Eq. (16), viz.

$$\Delta_p^{\frac{1}{2}} \sum_l \frac{\partial}{\partial q_l}\left(\Delta_p^{-\frac{1}{2}} \sum_k a_{lk}\partial\psi/\partial q_k\right)+(8\pi^2/h^2)(E-V)\psi=0, \tag{26}$$

$-E$ being, as before, the Lagrangian multiplier of (25). The double sum appearing in (26) is a sort of generalized Laplacian in the N-dimensional, non-euclidean space of coordinates. The necessary appearance of $\Delta_p^{-\frac{1}{2}}$ in an integral like (24) or (25) is well known from Gibbs' statistical mechanics; $\Delta_p^{-\frac{1}{2}}\ dq_1 \cdot \cdot \cdot dq_N$ is simply the non-euclidean element of volume, e.g. $r^2 \sin\theta d\theta d\phi dr$ in the case of one material point of unit mass, whose position is fixed by three polar coordinates r, θ, ϕ. (In omitting the determinant the integrals would not be invariant relative to point transformations; they would depend on the choice of generalized coordinates.) It is Eq. (26) that has been used in all problems mentioned in Section 6.

8. The question of the real physical meaning of the wave-function ψ has been delayed (see Section 6) until now for the sake of discussing it but once in full generality for a wholly arbitrary system. Eq. (16) or in the more general case, Eq. (26) gives the dependence of the wave-function ψ on the coordinates only, the dependence on time being given for every one particular solution, corresponding to a particular characteristic value $E=E_l$, by the real part of

$$\exp[(2\pi E_l t/h+\theta_l)i], \qquad i=\sqrt{-1}$$

the θ_l being phase constants. So if u_l ($l=1, 2, 3 \cdot \cdot \cdot$) be the characteristic functions the most general solution of the wave-problem will be (the real part of)

$$\psi=\sum_{l=1}^{\infty} c_l u_l \exp[(2\pi E_l t/h+\theta_l)i]. \tag{27}$$

(For simplicity's sake we suppose the characteristic values to be all single and discrete.) The c_l are real constants. Now form the square of the absolute value of the complex function ψ. Denoting a conjugate complex value by a bar, this is

$$\psi\bar{\psi}=2\sum_{l,l'} c_l c_{l'} u_l u_{l'} \cos[2\pi(E_l-E_{l'})t/h+\theta_l-\theta_{l'}]. \tag{28}$$

This of course, like ψ itself, is in the general case a function of the generalized coordinates $q_1 \cdot \cdot \cdot q_N$ and the time,—not a function of ordinary space and time as in ordinary wave-problems. This raises some difficulty in attaching a physical meaning to the wave-function. In the case of the hydrogen atom (taken as a one-body problem) the difficulty disappears. In this case it has been possible to compute fairly correct values for the intensities e.g. of the Stark effect components (see Section 6, Fig. 1) by the following hypothesis: the charge of the electron is not concentrated in a point, but is spread out through the whole space, proportional to the quantity $\psi\bar{\psi}$.

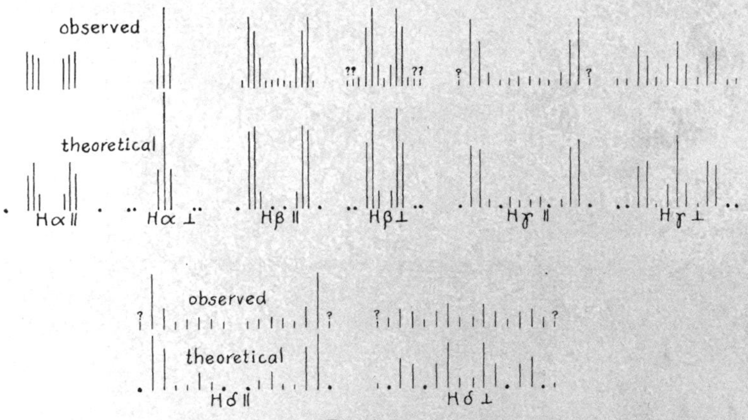

FIG. 1

It has to be born in mind, that by this hypothesis the charge is nevertheless restricted to a domain of, say, a few Angstroms, the wave-function ψ practically vanishing at greater distance from the nucleus (see Section 4). The fluctuation of the charge will be governed by Eq. (28), applied to the special case of the hydrogen atom. To find the radiation, that by ordinary electrodynamics will originate from these fluctuating charges, we have simply to calculate the rectangular components of the total electrical moment[11] by multiplying (28) by x, y, z respectively, and integrating over the space, e.g.[12]

$$\int\int\int z\psi\bar{\psi}\,dx\,dy\,dz = 2\sum_{l,l'} c_l c_{l'} \cos\left[2\pi(E_l - E_{l'})t/h + \theta_l - \theta_{l'}\right]$$

[11] This procedure is legitimate only because and as long as the domain to which the charge is practically restricted remains small in comparison with the optical wave-length that corresponds to the frequencies $(E_l - E_l')/yh$.

[12] In the sum $\sum_{l,l'}$ each pair of values of l,l' is to be taken but once and the terms with $l'=l$ are to be halved.

$$\cdot \iiint z u_l u_{l'} dx dy dz \tag{29}$$

Thus the total electric moment is seen to be a superposition of dipoles, which are associated with the pairs of characteristic functions which vibrate harmonically with the frequencies $(E_l - E_{l'})/h$, well known from N. Bohr's famous frequency-condition. The intensity of emitted radiation of a particular frequency is to be expected proportional to the square of

$$c_l c_{l'} \iiint z u_l u_{l'} dx dy dz.$$

The supposition made on the c_l, in calculating the intensities of the Stark effect components, Fig. 1, is, that the c_l be equal for every set of characteristic values derived from one Balmer level (Eq. 19–2) by the action of the electrical field. The relative intensities of the fine structure components will then be proportional to the square of the triple integral. This is found to be in fair agreement with experiment.

The triple integral may be shown to be equal to what in Heisenberg's theory would be called the "element of matrix $z(l, l')$". This constitutes the intimate connection between the two theories. But the important achievement of the present theory—imperfect as it may in many respects be—seems to me to be that by a definite localization of the charge in space and time we are able from ordinary electrodynamics really to derive both the frequencies and the intensities and polarizations of the emitted light. All so-called selection principles automatically result from the vanishing of the triple integral in the particular case.

Now how are these conceptions to be generalized to the case of more than one, say of N, electrons? Here Heisenberg's formal theory has proved most valuable. It tells us though less by physical reasoning than by its compact formal structure that Eq. (29) giving a rectangular component of total electric moment has to be maintained with the only differences that (1) the integrals are $3N$-fold instead of three fold, extending over the whole coordinate space; (2) z has to be replaced by the sum $\sum e_i z_i$ i.e. by the z-component of the total electrical moment which the point-charge model would have in the configuration $(x_1, y_1, z_1; x_2, y_2, z_2; \cdots x_N, y_N, z_N)$ that relates to the element $dx_1 \cdots dz_N$ of the integration.

But this amounts to making the following hypothesis as to the physical meaning of ψ which of course reduces to our former hypothesis in the case of one electron only: the real continuous partition of the charge is a sort of mean of the continuous multitude of all possible configurations of the corresponding point-charge model, the mean being taken with the quantity $\psi\bar{\psi}$ as a sort of weight-function in the configuration space.

No very definite experimental results can be brought forward at present in favor of this generalized hypothesis. But some very general theoretical results on the quantity $\psi\bar{\psi}$ persuade me that the hypothesis is right. For example the value of the integral of $\psi\bar{\psi}$, taken over the whole coordinate space proves absolutely constant (as it should, if $\psi\bar{\psi}$ is a reasonable weight function) not only with a conservative, but also with a non-conservative system. The treatment of the latter will be roughly sketched in the following section.

9. Eq. (16) or more generally (26) which is fundamental to all our reasoning has been arrived at under the supposition that ψ depends on the time only through the factor

$$e^{\pm 2\pi i E t/h} \tag{30}$$

But this amounts to saying, that

$$\dot{\psi} = \pm 2\pi i E\psi/h. \tag{31}$$

From this equation and from Eq. (26) the quantity E may be eliminated and so an equation be formed that must hold in any case, whatever be the dependence of the wave-function ψ on time:

$$\Delta_p^{\frac{1}{2}} \sum_l \frac{\partial}{\partial q_l}\left(\Delta_p^{-\frac{1}{2}} \sum_k a_{lk}\partial\psi/\partial q_k\right) - 8\pi^2 V\psi/h^2 \mp (4\pi i/h)\partial\psi/\partial t = 0 \tag{32}$$

The ambiguous sign of the last term presents no grave difficulty. Since physical meaning is attached to the product $\psi\bar{\psi}$ only, we may postulate for ψ either of the two equations (32); then $\bar{\psi}$ will satisfy the other and their product will remain unaltered.

Eq. (32) lends itself to generalization to an arbitrary non-conservative system by simply supposing the potential function V to contain the time explicitly. A case of greatest interest is obtained by adding to the potential energy of a conservative system a small term; viz., the non-conservative potential energy, produced in the system by an incident light wave. We cannot enter here into the details, but shall only present the main features of the solution. The effect of the incident light wave is, that with each free vibration of the undisturbed system, frequency E_l/h, there are associated two forced vibrations with, in general, very small amplitudes and with the two frequencies $E_l/h \pm \nu$, ν being the frequency of the incident beam of light. Following the same principles as in the foregoing section we find every free vibration, cooperating with its associated forced vibrations to give rise to a forced light emission with the difference frequency

$$E_l/h-(E_l/h\pm\nu)=\mp\nu$$

i.e. with exactly the frequency of the incident beam of light. This forced emission is of course to be identified with the secondary wavelets that are necessary to account for absorption, dispersion and scattering. In calculating their amplitudes one finds them, indeed, to increase very markedly as soon as the incident frequency ν approaches any one of the emission frequencies $(E_l-E_{l'})/h$. The final formula is almost identical with the well known Helmholtz dispersion formula in the form presented by Kramers.[13]

The case of resonance cannot yet be treated quite satisfactorily, since a damping-term seems to be missing in our fundamental equation, even in the case of a free conservative system. (The radiation, which according to the assumptions of Section 8 is emitted by the cooperation of every pair of free vibrations, must of course in some way alter their amplitudes. This it does not do according to the assumptions hitherto made.) But it is quite interesting to observe that also with that damping term still missing, we do not encounter the accident of infinite amplitudes in the case of resonance, well known from the classical treatment of the subject. The only thing that happens is that an incident light wave of ever so small an amplitude will raise the forced vibration of the system to a finite amplitude. And furthermore if, for example, from the beginning only one free vibration was set up, say that belonging to $E_{l'}$ and if

$$h\nu=E_{l'}-E_l,$$

then the forced vibration, raised to finite amplitude, is in shape and frequency identical with the free vibration belonging to $E_{l'}$. At the same time the amplitude of the vibration E_l is markedly diminished. The sum of squares of all amplitudes remains constant under all circumstances. This behavior seems to afford an insight (though incomplete) into the so-called transition from one stationary state to another which hitherto has been wholly inaccessible to computation.

10. In the foregoing report the undulatory theory of mechanics has been developed without reference to two very important things, viz. (1) the relativity modifications of classical mechanics, (2) the action of a magnetic field on the atom. This may be thought rather peculiar since L. de Broglie, whose fundamental researches gave origin to the present

[13] H. A. Kramers, Nature, May 10 (1924), Aug. 30 (1924); H. A. Kramers and W. Heisenberg, Zeits. f. Physik **31,** 681 (1925).

theory, even started from the relativistic theory of electronic motion and from the beginning took into account a magnetic field as well as an electric one.

It is of course possible to take the same starting point also for the present theory and to carry it on fairly far in using relativistic mechanics instead of classical and including the action of a magnetic field. Some very interesting results are obtained in this way on the wave-length displacement, intensity and polarization of the fine structure components and of the Zeeman components of the hydrogen atom.[14] There are two reasons why I did not think it very important to enter here into this form of the theory. First, it has until now not been possible to extend the relativistic theory to a system of more than one electron. But there is the region in which the solution of new problems is to be hoped from the new theory, problems that were inaccessible to the older theory.

Second, the relativistic theory of the hydrogen atom is apparently incomplete; the results are in grave contradiction with experiment, since in Sommerfeld's well known formula for the displacement of the natural fine structure components the so-called azimuthal quantum number (as well as the radial quantum number) turns out as "half-integer," i.e. half of an odd number, instead of integer. So the fine structure turns out entirely wrong.

The deficiency must be intimately connected with Uhlenbeck-Goudsmit's[15] theory of the spinning electron. But in what way the electron spin has to be taken into account in the present theory is yet unknown.

ZÜRICH, SWITZERLAND,
September 3, 1926.

[14] V. Fock, Zeits. f. Physik **38**, 242 (1926).
[15] G. E. Uhlenbeck and S. Goudsmit, Physica (1925); Nature, Feb. 20 (1926).

논문 웹페이지

위대한 논문과의 만남을 마무리하며

1924년부터 1926년까지 3년 동안은 양자역학이 형성되는 시기로 훌륭한 이론 물리학자들이 대거 등장합니다. 이 책은 양자역학의 문을 여는 하이젠베르크의 불확정성원리 논문(1925년)과 슈뢰딩거 방정식 논문(1926년)에 초점을 맞추었습니다. 두 논문의 이해를 돕기 위해 광학의 역사부터 살펴보았습니다. 불확정성원리에 가장 결정적인 역할을 한 드브로이의 물질파 이론(1924년)도 다루었습니다. 하이젠베르크와 거의 비슷한 시기에 불확정성원리를 연구한 보른과 요르단의 이야기도 곁들여 보았습니다. 또한 하이젠베르크와 슈뢰딩거 논문의 이해를 위해서 대학교 2학년 때 배우는 푸리에 급수와 해석역학의 역사를 고등학생들도 이해할 수 있도록 설명했습니다.

여기서는 오로지 하이젠베르크와 슈뢰딩거의 오리지널 논문 해설과 그 역사적 배경만을 다루었습니다. 청소년과 일반 독자가 소화할 수 없을 정도로 난해한 부분은 배제하면서 고등학교 수준의 수학만으로 위대한 두 논문을 이해하게 돕는 데 중점을 두었습니다.

원고를 쓰기 위해 19세기와 20세기 초의 여러 논문을 뒤적거렸습니다. 지금과는 완연히 다른 용어와 기호 때문에 많이 힘들었습니다. 특히 번역이 안 되어 있는 자료들이 많았지만 프랑스 논문에 대해서는 불문과를 졸업한 아내의 도움으로 조금은 이해할 수 있었습니다.

하이젠베르크는 논문을 완성하기 전까지 많은 책을 읽었고, 특히 보어와 드브로이의 논문을 탐독했습니다. 슈뢰딩거 역시 논문을 쓰기 전에 해밀턴-야코비 이론을 공부했습니다. 이 책에서는 스쳐 지나간 푸리에 급수나 해석역학 이야기도 언젠가 기회가 된다면 청소년과 일반 독자를 위해 자세히 쓰고 싶습니다.

집필을 끝내자마자 다시 브라운 운동을 확산 방정식으로 완벽하게 이해한 아인슈타인의 오리지널 논문을 공부하며 시리즈를 계속 이어나갈 생각을 하니 즐거움에 벅차오릅니다. 제가 느끼는 이 기쁨을 독자들이 공유할 수 있기를 바라며 이제 힘들었지만 재미있었던 논문들과의 씨름을 여기서 멈추려고 합니다.

끝으로 용기를 내서 이 시리즈의 출간을 결정해준 성림원북스의 이성림 사장과 직원들에게 감사를 드립니다. 시리즈 초안이 나왔을 때, 수식이 많아 출판사들이 꺼릴 것 같다는 생각이 들었습니다. 몇 군데에 의뢰한 후 거절당하면 블로그로 올릴 생각으로 글을 써 내려갔습니다. 놀랍게도 첫 번째로 이 원고의 이야기를 나눈 성림원북스에서 출간을 결정해 주어서 책이 세상에 나올 수 있게 되었습니다. 원고를 쓰는 데 필요한 프랑스 논문의 번역을 도와준 아내에게도 고마움을 전합니다. 그리고 이 책을 쓸 수 있도록 멋진 논문을 만든 고 하이젠베르크, 드브로이, 슈뢰딩거 박사님에게도 감사를 드립니다.

진주에서 정완상 교수

이 책을 위해 참고한 논문들

1장

[1] R. Hooke, De Potentia Restitutiva, London, 1678.

[2] C. Huygens, "Horologium Oscillatorium", 1673.

[3] I. Newton, "Opticks: Or, a Treatise of the Reflexions, Refractions, Inflexions and Colours of Light", 1704.

2장

[1] M. Planck, "Ueber das Gesetz der Energieverteilung im Normalspektrum", Annalen der Physik. 309; 553, 1901.

[2] A. Einstein, "Über einen die Erzeugung und Verwandlung des Lichtes betreffenden heuristischen Gesichtspunkt", Annalen der Physik(in German). 17 (6); 132-148, 1905.

[3] A. H. Compton, "A Quantum Theory of the Scattering of X-Rays by Light Elements", Physical Review. 21 (5); 483-502, May 1923.

[4] N. Bohr, "On the Constitution of Atoms and Molecules", Philosophical Magazine. 26 (151); 1-24, 1913.

[5] A. Einstein, "Zur Elektrodynamik bewegter Körper" (On the Electrodynamics of Moving Bodies), Annalen der Physik(in

German). 17 (10); 891-921, 1905.
[6] L. De Broglie, Philosophical Magazine. 47; 446, 1924.
[7] C. Davisson and L. H. Germer, "The Scattering of Electrons by a Single Crystal of Nickel", Nature. 119; 558, 1927.

3장

[1] L. Euler, Introductio in analysin infinitorum, 1748.

4장

[1] W. Heisenberg, "Über quantentheoretische Umdeutung kinematischer und mechanischer Beziehungen", Zeitschrift für Physik. 33 (1); 879-893, 1925.
[2] M. Born and P. Jordan, "Zur Quantenmechanik", Zeitschrift für Physik. 34 (1); 858-888, 1925.
[3] M. Born, W. Heisenberg and P. Jordan, "Zur Quantenmechanik II", Zeitschrift für Physik. 35 (8-9); 557-615, 1926.
[4] N. Bohr, "On the Constitution of Atoms and Molecules, Part I", Philosophical Magazine. 26 (151); 1-24, 1913.

5장

[1] L. Euler, "Elementa calculi variationum", 1766.
[2] W. Hamilton, On a General Method in Dynamics, 1834.

6장

[1] E. Schrödinger, An Undulatory Theory of the Mechanics of Atoms and Molecules, Physical Review. 28; 1049, 1926.

[2] L. De Broglie, Philosophical Magazine. 47; 446, 1924.

[3] M. Born, "Zur Quantenmechanik der Stoßvorgänge", Zeitschrift für Physik. 37; 863-867, 1926.

[4] P. Ehrenfest, "Bemerkung über die angenäherte Gültigkeit der klassischen Mechanik innerhalb der Quantenmechanik", Zeitschrift für Physik. 45; 455-457, 1927.

[5] E. Schrödinger, "Quantisierung als Eigenwertproblem", Annalen der Physik. 384; 273-376, 1926.

[6] E. H. Kennard, Z. Phys. 44; 326, 1927.

[7] H. P. Robertson, Physical Review. 34; 163, 1929.

[8] E. Schrödinger, About Heisenberg Uncertainty Relation, Proc. Prussian Acad. Sci. Phys. Math. Sect. XIX 293, 1930.

수식에 사용하는 그리스 문자

대문자	소문자	읽기	대문자	소문자	읽기
A	α	알파(alpha)	N	ν	뉴(nu)
B	β	베타(beta)	Ξ	ξ	크시(xi)
Γ	γ	감마(gamma)	O	o	오미크론(omicron)
Δ	δ	델타(delta)	Π	π	파이(pi)
E	ε	엡실론(epsilon)	P	ρ	로(rho)
Z	ζ	제타(zeta)	Σ	σ	시그마(sigma)
H	η	에타(eta)	T	τ	타우(tau)
Θ	θ	세타(theta)	Y	υ	입실론(upsilon)
I	ι	요타(iota)	Φ	φ	피(phi)
K	κ	카파(kappa)	X	χ	키(chi)
Λ	λ	람다(lambda)	Ψ	ψ	프시(psi)
M	μ	뮤(mu)	Ω	ω	오메가(omega)

노벨 물리학상 수상자들을 소개합니다

이 책에 언급된 노벨상 수상자는 이름 앞에 ★로 표시하였습니다.

연도	수상자	수상 이유
1901	빌헬름 콘라트 뢴트겐	그의 이름을 딴 놀라운 광선의 발견으로 그가 제공한 특별한 공헌을 인정하여
1902	★헨드릭 안톤 로런츠	복사 현상에 대한 자기의 영향에 대한 연구를 통해 그들이 제공한 탁월한 공헌을 인정하여
	피터르 제이만	
1903	앙투안 앙리 베크렐	자발 방사능 발견으로 그가 제공한 탁월한 공로를 인정하여
	피에르 퀴리	앙리 베크렐 교수가 발견한 방사선 현상에 대한 공동 연구를 통해 그들이 제공한 탁월한 공헌을 인정하여
	마리 퀴리	
1904	존 윌리엄 스트럿 레일리	가장 중요한 기체의 밀도에 대한 조사와 이러한 연구와 관련하여 아르곤을 발견한 공로
1905	필리프 레나르트	음극선에 대한 연구
1906	조지프 존 톰슨	기체에 의한 전기 전도에 대한 이론적이고 실험적인 연구의 큰 장점을 인정하여
1907	앨버트 에이브러햄 마이컬슨	광학 정밀 기기와 그 도움으로 수행된 분광 및 도량형 조사
1908	가브리엘 리프만	간섭 현상을 기반으로 사진적으로 색상을 재현하는 방법
1909	★굴리엘모 마르코니	무선 전신 발전에 기여한 공로를 인정받아
	카를 페르디난트 브라운	
1910	요하네스 디데릭 판데르발스	기체와 액체의 상태 방정식에 관한 연구
1911	★빌헬름 빈	열복사 법칙에 관한 발견
1912	닐스 구스타프 달렌	등대와 부표를 밝히기 위해 가스 어큐뮬레이터와 함께 사용하기 위한 자동 조절기 발명

1913	헤이커 카메를링 오너스	특히 액체 헬륨 생산으로 이어진 저온에서의 물질 특성에 대한 연구
1914	막스 폰 라우에	결정에 의한 X선 회절 발견
1915	윌리엄 헨리 브래그	X선을 이용한 결정 구조 분석에 기여한 공로
	윌리엄 로런스 브래그	
1916	수상자 없음	
1917	찰스 글러버 바클라	원소의 특징적인 뢴트겐 복사 발견
1918	★막스 플랑크	에너지 양자 발견으로 물리학 발전에 기여한 공로 인정
1919	요하네스 슈타르크	커낼선의 도플러 효과와 전기장에서 분광선의 분할 발견
1920	샤를 에두아르 기욤	니켈강 합금의 이상 현상을 발견하여 물리학의 정밀 측정에 기여한 공로를 인정하여
1921	★알베르트 아인슈타인	이론 물리학에 대한 공로, 특히 광전효과 법칙 발견
1922	★닐스 보어	원자 구조와 원자에서 방출되는 방사선 연구에 기여
1923	★로버트 앤드루스 밀리컨	전기의 기본 전하와 광전효과에 관한 연구
1924	칼 만네 예오리 시그반	X선 분광학 분야에서의 발견과 연구
1925	제임스 프랑크	전자가 원자에 미치는 영향을 지배하는 법칙 발견
	구스타프 헤르츠	
1926	장 바티스트 페랭	물질의 불연속 구조에 관한 연구, 특히 침전 평형 발견
1927	★아서 콤프턴	그의 이름을 딴 효과 발견
	찰스 톰슨 리스 윌슨	수증기 응축을 통해 전하를 띤 입자의 경로를 볼 수 있게 만든 방법
1928	오언 윌런스 리처드슨	열전자 현상에 관한 연구, 특히 그의 이름을 딴 법칙 발견
1929	★루이 드브로이	전자의 파동성 발견
1930	찬드라세카라 벵카타 라만	빛의 산란에 관한 연구와 그의 이름을 딴 효과 발견

1931	수상자 없음	
1932	★베르너 하이젠베르크	수소의 동소체 형태 발견으로 이어진 양자역학의 창시
1933	★에르빈 슈뢰딩거	원자 이론의 새로운 생산적 형태 발견
	★폴 디랙	
1934	수상자 없음	
1935	제임스 채드윅	중성자 발견
1936	빅토르 프란츠 헤스	우주 방사선 발견
	칼 데이비드 앤더슨	양전자 발견
1937	★클린턴 조지프 데이비슨	결정에 의한 전자의 회절에 대한 실험적 발견
	조지 패짓 톰슨	
1938	엔리코 페르미	중성자 조사에 의해 생성된 새로운 방사성 원소의 존재에 대한 시연 및 이와 관련된 느린중성자에 의한 핵반응 발견
1939	어니스트 로런스	사이클로트론의 발명과 개발, 특히 인공 방사성 원소와 관련하여 얻은 결과
1940	수상자 없음	
1941		
1942		
1943	오토 슈테른	분자선 방법 개발 및 양성자의 자기 모멘트 발견에 기여
1944	이지도어 아이작 라비	원자핵의 자기적 특성을 기록하기 위한 공명 방법
1945	★볼프강 파울리	파울리 원리라고도 불리는 배제 원리의 발견
1946	퍼시 윌리엄스 브리지먼	초고압을 발생시키는 장치의 발명과 고압 물리학 분야에서 그가 이룬 발견에 대해
1947	에드워드 빅터 애플턴	대기권 상층부의 물리학 연구, 특히 이른바 애플턴층의 발견
1948	패트릭 메이너드 스튜어트 블래킷	윌슨 구름상자 방법의 개발과 핵물리학 및 우주 방사선 분야에서의 발견

1949	유카와 히데키	핵력에 관한 이론적 연구를 바탕으로 중간자 존재 예측
1950	세실 프랭크 파월	핵 과정을 연구하는 사진 방법의 개발과 이 방법으로 만들어진 중간자에 관한 발견
1951	존 더글러스 콕크로프트	인위적으로 가속된 원자 입자에 의한 원자핵 변환에 대한 선구자적 연구
	어니스트 토머스 신턴 월턴	
1952	펠릭스 블로흐	핵자기 정밀 측정을 위한 새로운 방법 개발 및 이와 관련된 발견
	에드워드 밀스 퍼셀	
1953	프리츠 제르니커	위상차 방법 시연, 특히 위상차 현미경 발명
1954	★막스 보른	양자역학의 기초 연구, 특히 파동함수의 통계적 해석
	발터 보테	우연의 일치 방법과 그 방법으로 이루어진 그의 발견
1955	윌리스 유진 램	수소 스펙트럼의 미세 구조에 관한 발견
	폴리카프 쿠시	전자의 자기 모멘트를 정밀하게 측정한 공로
1956	윌리엄 브래드퍼드 쇼클리	반도체 연구 및 트랜지스터 효과 발견
	존 바딘	
	월터 하우저 브래튼	
1957	양전닝	소립자에 관한 중요한 발견으로 이어진 소위 패리티 법칙에 대한 철저한 조사
	리정다오	
1958	파벨 알렉세예비치 체렌코프	체렌코프 효과의 발견과 해석
	일리야 프란크	
	이고리 탐	
1959	에밀리오 지노 세그레	반양성자 발견
	오언 체임벌린	
1960	도널드 아서 글레이저	거품 상자의 발명

1961	로버트 호프스태터	원자핵의 전자 산란에 대한 선구적인 연구와 핵자 구조에 관한 발견
	루돌프 뫼스바워	감마선의 공명 흡수에 관한 연구와 그의 이름을 딴 효과에 대한 발견
1962	레프 다비도비치 란다우	응집 물질, 특히 액체 헬륨에 대한 선구적인 이론
1963	유진 폴 위그너	원자핵 및 소립자 이론에 대한 공헌, 특히 기본 대칭 원리의 발견 및 적용을 통한 공로
	마리아 괴페르트 메이어	핵 껍질 구조에 관한 발견
	한스 옌젠	
1964	니콜라이 바소프	메이저-레이저 원리에 기반한 발진기 및 증폭기의 구성으로 이어진 양자 전자 분야의 기초 작업
	알렉산드르 프로호로프	
	찰스 하드 타운스	
1965	도모나가 신이치로	소립자의 물리학에 심층적인 결과를 가져온 양자전기역학의 근본적인 연구
	줄리언 슈윙거	
	★리처드 필립스 파인먼	
1966	알프레드 카스틀레르	원자에서 헤르츠 공명을 연구하기 위한 광학적 방법의 발견 및 개발
1967	한스 알브레히트 베테	핵반응 이론, 특히 별의 에너지 생산에 관한 발견에 기여
1968	루이스 월터 앨버레즈	소립자 물리학에 대한 결정적인 공헌, 특히 수소 기포 챔버 사용 기술 개발과 데이터 분석을 통해 가능해진 다수의 공명 상태 발견
1969	머리 겔만	기본 입자의 분류와 그 상호 작용에 관한 공헌 및 발견
1970	한네스 올로프 예스타 알벤	플라즈마 물리학의 다양한 부분에서 유익한 응용을 통해 자기유체역학의 기초 연구 및 발견
	루이 외젠 펠릭스 네엘	고체 물리학에서 중요한 응용을 이끈 반강자성 및 강자성에 관한 기초 연구 및 발견
1971	데니스 가보르	홀로그램 방법의 발명 및 개발

1972	존 바딘 리언 닐 쿠퍼 존 로버트 슈리퍼	일반적으로 BCS 이론이라고 하는 초전도 이론을 공동으로 개발한 공로
1973	에사키 레오나 이바르 예베르	반도체와 초전도체의 터널링 현상에 관한 실험적 발견
1973	브라이언 데이비드 조지프슨	터널 장벽을 통과하는 초전류 특성, 특히 일반적으로 조지프슨 효과로 알려진 현상에 대한 이론적 예측
1974	마틴 라일 앤터니 휴이시	전파 천체물리학의 선구적인 연구: 라일은 특히 개구 합성 기술의 관찰과 발명, 그리고 휴이시는 펄서 발견에 결정적인 역할을 함
1975	오게 닐스 보어 벤 로위 모텔손 제임스 레인워터	원자핵에서 집단 운동과 입자 운동 사이의 연관성 발견과 이 연관성에 기초한 원자핵 구조 이론 개발
1976	버턴 릭터 새뮤얼 차오 충 팅	새로운 종류의 무거운 기본 입자 발견에 대한 선구적인 작업
1977	필립 워런 앤더슨 네빌 프랜시스 모트 존 해즈브룩 밴블렉	자기 및 무질서 시스템의 전자 구조에 대한 근본적인 이론적 조사
1978	표트르 레오니도비치 카피차	저온 물리학 분야의 기본 발명 및 발견
1978	아노 앨런 펜지어스 로버트 우드로 윌슨	우주 마이크로파 배경 복사의 발견
1979	셸던 리 글래쇼 압두스 살람 스티븐 와인버그	특히 약한 중성 전류의 예측을 포함하여 기본 입자 사이의 통일된 약한 전자기 상호 작용 이론에 대한 공헌

1980	제임스 왓슨 크로닌	중성 K 중간자의 붕괴에서 기본 대칭 원리 위반 발견
	밸 로그즈던 피치	
1981	니콜라스 블룸베르헌	레이저 분광기 개발에 기여
	아서 레너드 숄로	
	카이 만네 뵈리에 시그반	고해상도 전자 분광기 개발에 기여
1982	케네스 게디스 윌슨	상전이와 관련된 임계 현상에 대한 이론
1983	수브라마니안 찬드라세카르	별의 구조와 진화에 중요한 물리적 과정에 대한 이론적 연구
	윌리엄 앨프리드 파울러	우주의 화학 원소 형성에 중요한 핵반응에 대한 이론 및 실험적 연구
1984	카를로 루비아	약한 상호 작용의 커뮤니케이터인 필드 입자 W와 Z의 발견으로 이어진 대규모 프로젝트에 결정적인 기여
	시몬 판데르 메이르	
1985	클라우스 폰 클리칭	양자화된 홀 효과의 발견
1986	에른스트 루스카	전자 광학의 기초 작업과 최초의 전자 현미경 설계
	게르트 비니히	스캐닝 터널링 현미경 설계
	하인리히 로러	
1987	요하네스 게오르크 베드노르츠	세라믹 재료의 초전도성 발견에서 중요한 돌파구
	카를 알렉산더 뮐러	
1988	리언 레더먼	뉴트리노 빔 방법과 뮤온 중성미자 발견을 통한 경입자의 이중 구조 증명
	멜빈 슈워츠	
	잭 스타인버거	
1989	노먼 포스터 램지	분리된 진동 필드 방법의 발명과 수소 메이저 및 기타 원자시계에서의 사용
	한스 게오르크 데멜트	이온 트랩 기술 개발
	볼프강 파울	
1990	제롬 프리드먼	입자 물리학에서 쿼크 모델 개발에 매우 중요한 역할을 한 양성자 및 구속된 중성자에 대한 전자의 심층 비탄성 산란에 관한 선구적인 연구
	헨리 웨이 켄들	
	리처드 테일러	

1991	피에르질 드젠	간단한 시스템에서 질서 현상을 연구하기 위해 개발된 방법을 보다 복잡한 형태의 물질, 특히 액정과 고분자로 일반화할 수 있음을 발견
1992	조르주 샤르파크	입자 탐지기, 특히 다중 와이어 비례 챔버의 발명 및 개발
1993	러셀 헐스	새로운 유형의 펄서 발견, 중력 연구의 새로운 가능성을 연 발견
	조지프 테일러	
1994	버트럼 브록하우스	중성자 분광기 개발
	클리퍼드 셜	중성자 회절 기술 개발
1995	마틴 펄	타우 렙톤의 발견
	프레더릭 라이너스	중성미자 검출
1996	데이비드 리	헬륨-3의 초유동성 발견
	더글러스 오셔로프	
	로버트 리처드슨	
1997	스티븐 추	레이저 광으로 원자를 냉각하고 가두는 방법 개발
	클로드 코엔타누지	
	윌리엄 필립스	
1998	로버트 로플린	부분적으로 전하를 띤 새로운 형태의 양자 유체 발견
	호르스트 슈퇴르머	
	대니얼 추이	
1999	헤라르뒤스 엇호프트	물리학에서 전기약력 상호작용의 양자 구조 규명
	마르티뉘스 펠트만	
2000	조레스 알표로프	정보 통신 기술에 대한 기초 작업(고속 및 광전자 공학에 사용되는 반도체 이종 구조 개발)
	허버트 크로머	
	잭 킬비	정보 통신 기술에 대한 기초 작업(집적 회로 발명에 기여)

2001	에릭 코넬	알칼리 원자의 희석 가스에서 보스-아인슈타인 응축 달성 및 응축 특성에 대한 초기 기초 연구
	칼 위먼	
	볼프강 케테를레	
2002	레이먼드 데이비스	천체물리학, 특히 우주 중성미자 검출에 대한 선구적인 공헌
	고시바 마사토시	
	리카르도 자코니	우주 X선 소스의 발견으로 이어진 천체 물리학에 대한 선구적인 공헌
2003	알렉세이 아브리코소프	초전도체 및 초유체 이론에 대한 선구적인 공헌
	비탈리 긴즈부르크	
	앤서니 레깃	
2004	데이비드 그로스	강한 상호작용 이론에서 점근적 자유의 발견
	데이비드 폴리처	
	프랭크 윌첵	
2005	로이 글라우버	광학 일관성의 양자 이론에 기여
	존 홀	광 주파수 콤 기술을 포함한 레이저 기반 정밀 분광기 개발에 기여
	테오도어 헨슈	
2006	존 매더	우주 마이크로파 배경 복사의 흑체 형태와 이방성 발견
	조지 스무트	
2007	알베르 페르	자이언트 자기 저항의 발견
	페터 그륀베르크	
2008	난부 요이치로	아원자 물리학에서 자발적인 대칭 깨짐 메커니즘 발견
	고바야시 마코토	자연계에 적어도 세 종류의 쿼크가 존재함을 예측하는 깨진 대칭의 기원 발견
	마스카와 도시히데	
2009	찰스 가오	광 통신을 위한 섬유의 빛 전송에 관한 획기적인 업적
	윌러드 보일	영상 반도체 회로(CCD 센서)의 발명
	조지 엘우드 스미스	

2010	안드레 가임	2차원 물질 그래핀에 관한 획기적인 실험
	콘스탄틴 노보셀로프	
2011	솔 펄머터	원거리 초신성 관측을 통한 우주 가속 팽창 발견
	브라이언 슈밋	
	애덤 리스	
2012	세르주 아로슈	개별 양자 시스템의 측정 및 조작을 가능하게 하는 획기적인 실험 방법
	데이비드 와인랜드	
2013	프랑수아 앙글레르	아원자 입자의 질량 기원에 대한 이해에 기여하고 최근 CERN의 대형 하드론 충돌기에서 ATLAS 및 CMS 실험을 통해 예측된 기본 입자의 발견을 통해 확인된 메커니즘의 이론적 발견
	피터 힉스	
2014	아카사키 이사무	밝고 에너지 절약형 백색 광원을 가능하게 한 효율적인 청색 발광 다이오드의 발명
	아마노 히로시	
	나카무라 슈지	
2015	가지타 다카아키	중성미자가 질량을 가지고 있음을 보여주는 중성미자 진동 발견
	아서 맥도널드	
2016	데이비드 사울레스	위상학적 상전이와 물질의 위상학적 위상에 대한 이론적 발견
	덩컨 홀데인	
	마이클 코스털리츠	
2017	라이너 바이스	LIGO 탐지기와 중력파 관찰에 결정적인 기여
	킵 손	
	배리 배리시	
2018	아서 애슈킨	레이저 물리학 분야의 획기적인 발명(광학 핀셋과 생물학적 시스템에 대한 응용)
	제라르 무루	레이저 물리학 분야의 획기적인 발명(고강도 초단파 광 펄스 생성 방법)
	도나 스트리클런드	

2019	제임스 피블스	우주의 진화와 우주에서 지구의 위치에 대한 이해에 기여(물리 우주론의 이론적 발견)
	미셸 마요르	우주의 진화와 우주에서 지구의 위치에 대한 이해에 기여(태양형 항성 주위를 공전하는 외계 행성 발견)
	디디에 쿠엘로	
2020	로저 펜로즈	블랙홀 형성이 일반 상대성 이론의 확고한 예측이라는 발견
	라인하르트 겐첼	우리 은하의 중심에 있는 초거대 밀도 물체 발견
	앤드리아 게즈	
2021	마나베 슈쿠로	복잡한 시스템에 대한 이해에 획기적인 기여(지구 기후의 물리적 모델링, 가변성을 정량화하고 지구 온난화를 안정적으로 예측)
	클라우스 하셀만	
	조르조 파리시	복잡한 시스템에 대한 이해에 획기적인 기여(원자에서 행성 규모에 이르는 물리적 시스템의 무질서와 요동의 상호작용 발견)
2022	알랭 아스페	얽힌 광자를 사용한 실험, 벨 불평등 위반 규명 및 양자 정보 과학 개척
	존 클라우저	
	안톤 차일링거	
2023	피에르 아고스티니	물질의 전자 역학 연구를 위해 아토초(100경분의 1초) 빛 펄스를 생성하는 실험 방법 고안
	페렌츠 크러우스	
	안 륄리에